9급/7급 공무원 시험대비 **최신판**

동영상강의 www.pmg.co.kr

박문각 공
입문서

브랜드만족 **1위** 박문각

2024

시작! 박혜선 국어

PMG 박문각

PREFACE

이 책의 머리말

2022 평균 99점 수석합격 배출했던 亦功 국어
2023에는 만점 릴레이, 박혜선 수강생 평균 90.8점 신화
亦功 국어 박혜선 선생님이
역공이들의 단기 합격을 간절하게 기원하며

안녕하세요. 박문각에서 국어를 가르치는 대표 전임 교수 박혜선입니다.
단순한 암기의 비중이 줄어들고, 독해의 추론 비중이 늘어나는 이 과도기에
여러분은 확신할 수 없는 내년 시험에 대해 큰 두려움을 가지고 계실 겁니다.
학창 시절에 특히 수능 국어나 내신 국어의 점수가 낮았거나
점수가 낮지 않았어도 느낌으로 국어 문제를 풀어 자신감이 없으셨던 분들은
더더욱 이렇게 방대한 양의 국어를 내가 끝까지 잘 해낼 수 있을까하는 걱정도 많이 앞서실 겁니다.
그러한 걱정을 없애 드리고자 따로 국어 입문 강의를 열게 되었습니다.

이 입문 강의를 들으시면
공무원 국어에 대한 막연한 두려움이 사라지시면서
전체적인 공무원 국어 문제를 바라보는 핵심적인 눈이 길러지실 겁니다.

추론의 비중이 늘어나고 단순 암기 비중이 줄어드는 이 시점의 시험의 KEY는 매우 간단합니다.
출제자가 미친 듯이 좋아하는 포인트를 입문 강의를 필두로 저와 함께 무한 반복하시면 됩니다.
그리고 내 머릿속에 그 출.좋.포가 잘 들어가 있는지 문제 풀이를 통해 확인하시면 됩니다.
무한 반복한 출.좋.포를 문제로 완벽하게 인출해 낼 수 있다면 합격을 못 할 이유가 없습니다.
어떤 것이 중요하고 어떤 것이 중요하지 않은지는 제가 정확하게 판별해 드릴 테니,
여러분은 올해에도 **최고 적중률로 만점 릴레이 신화**를 이뤄낸 저 박혜선을 따라와 주시면 됩니다.

이 교재는 잘못된 방향 설정으로 인해 고생은 고생대로 하고 결과는 나오지 않아 절망하는
여러분들의 어려움을 단번에 극복하게 해 줄 교재입니다.
여러분들의 고생이 헛되지 않도록 하기 위해 뼈를 깎는 연구를 통해 이 책을 구성하였습니다.

특이 이 입문 교재는 시험에 반드시 나올 영역들과 기출에 나왔던 영역들을 위주로 콤팩트하고 효율적으로 만들어졌기에
수험생들을 위한, 수험생들에 의한, 수험생들의 수험서라고 볼 수 있습니다.

넘사벽 적중률로 만점 릴레이 신화, 박혜선 수강생 평균 점수 90.8점을 기록한 박혜선의 이유

01 기출 빈출 순위에 따라 배열한 문법 예시들로 이론 강의를 통해 기출까지 정복 가능.
➡ 문법 예시 배열마저도 기출을 따르는, 체계적으로 설계한 찐 기출친화 교재

02 출·좋·포(출제자들이 좋아하는 포인트) 파트를 통해 저절로 중요도 평정이 가능하게 함.
➡ 출·좋·포(출제자들이 좋아하는 포인트)는 반드시 마스터해야 하는 시험 맛집 포인트

03 똘똘한 선택과 집중으로 꼭 나오는 출제 포인트를 반복하여 엄청난 학습 효과로 자연스럽게 문법 고수가 되게 함.
➡ 이제 두꺼운 기본서로 수험생활을 길게 늘리지 않기.

04 각 CH.마다 숲을 보게 함으로써 흩어져 있는 문법 개념을 콤팩트하고 확실하게 정리시킴.
➡ 한눈에 보기는 혜선 쌤의 비장의 무기

05 압도적인 강의력으로 매일 기대되는 혜선 쌤의 수업!!
➡ 긍정적인 에너지 뿜뿜하는 혜선 쌤과 함께하니 비타민을 먹은 듯 졸리지 않고 재미있는 국어, 완강 가능한 국어!

시중에 없던 혁신적인 〈시작! 박혜선 국어〉를 통해 올해 또한 많은 亦功이들이 인생에서 잊지 못할 최고의 성과를 내기를 기원합니다. 여러분들의 단기 합격을 끝까지 기도하고 그때까지 최고의 지원을 아끼지 않겠습니다.

2023년 4월 편저자

박혜선 惠旋

GUIDE

구성과 특징

1 한눈에 보기

- 한눈에 보기를 통해 각 단원의 숲을 보게 하였습니다.
- 각 단원에 학습 포인트를 미리 두어 출제가 많이 되는 포인트를 집어 시험의 출제 방향을 제시하였습니다.

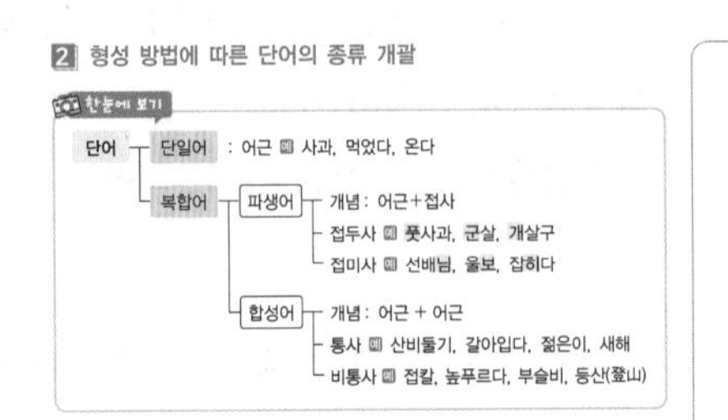

2 형성 방법에 따른 단어의 종류 개괄

한눈에 보기

단어 ┬ 단일어 : 어근 예 사과, 먹었다, 온다
└ 복합어 ┬ 파생어 ┬ 개념 : 어근+접사
├ 접두사 예 풋사과, 군살, 개살구
└ 접미사 예 선배님, 울보, 잡히다
└ 합성어 ┬ 개념 : 어근 + 어근
├ 통사 예 산비둘기, 갈아입다, 젊은이, 새해
└ 비통사 예 접칼, 높푸르다, 부슬비, 등산(登山)

출.종.포 동사

❶ 곱게 늙는다. / 집이 차차 낡는다.
▶ '늙다, 낡다'는 동사이므로 현재 시제 선어말 어미 '-는-'과 결합할 수 있다.

❷ 너 그러다가 맞는다. / 맞는 답을 고르시오.
▶ '맞다'는 동사이므로 현재 시제 선어말 어미 '-는-'과 결합할 수 있다. 또한 현재 관형사형 어미 '-는'과도 결합이 가능하다.

❸ 자꾸 답을 틀린다. / 틀리는 문제가 많니?
▶ '틀리다'는 동사이므로 현재 시제 선어말 어미 '-ㄴ-'과 결합할 수 있다. 또한 현재 관형사형 어미 '-는'과도 결합이 가능하다.

❹ 언니는 갈수록 예뻐졌다. / 괜히 슬퍼져서 눈물이 났다.
▶ '예뻐지다, 슬퍼지다'는 동사이다. '예뻐하다, 슬퍼하다'는 동사이다.

2 출.종.포

입문 친구들이 무한 반복해야 할 출제자가 좋아하는 포인트라는 섹션을 따로 만들어 수업 이후에 공부할 때에 혜선 쌤이 없어도 복습을 효과적으로 할 수 있도록 만들었습니다.

3

- 출제자가 좋아하는 포인트를 최빈출 순위에 따라 시각적으로 깔끔하게 익힐 수 있도록 하였습니다.
- 중요한 문법 예시와 문학 개념, 독해 전략을 형광펜으로 체크하여 제시하였습니다.

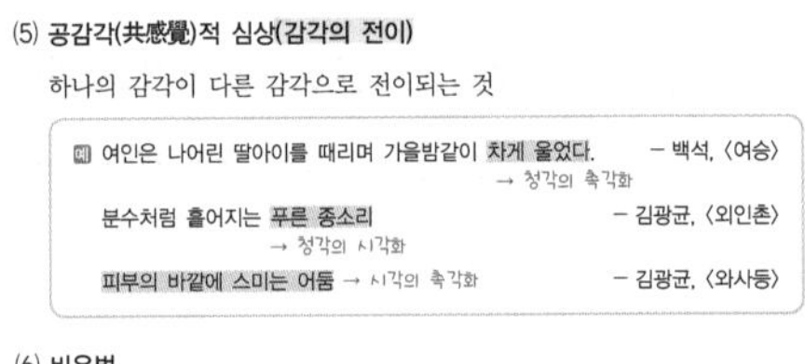

(5) 공감각(共感覺)적 심상(감각의 전이)

하나의 감각이 다른 감각으로 전이되는 것

예 여인은 나어린 딸아이를 때리며 가을밤같이 차게 울었다. — 백석, 〈여승〉
→ 청각의 촉각화

분수처럼 흩어지는 푸른 종소리 — 김광균, 〈외인촌〉
→ 청각의 시각화

피부의 바깥에 스미는 어둠 → 시각의 촉각화 — 김광균, 〈와사등〉

(6) 비유법

원관념을 보조 관념에 빗대어 설명하는 표현 방법. 원관념과 보조 관념 사이에 유사성이 있다.

주는 법이 없다.

대표 亦功 기출

밑줄 친 단어의 품사가 나머지 셋과 다른 것은? 2017. 국가직 7급 생활 안전 분야

① 노장은 결코 늙지 않는다는 말이 있다.
② 노인들은 꽃나무를 잘들 키우신다.
③ 곧 날이 밝으면 출발할 수 있다.
④ 노력했지만 아직 부족함이 많다.

4 대표 역공 기출

최빈출인 문제들을 엄선하여 대표 역공 기출로 만들었습니다. 이제까지 배운 문법 이론을 적용하여 풀어본 후, 본인의 약점을 체크할 수 있습니다. 모든 선택지에 대한 해설이 꼼꼼하게 들어가, 메타인지를 활용한 학습이 가능합니다.

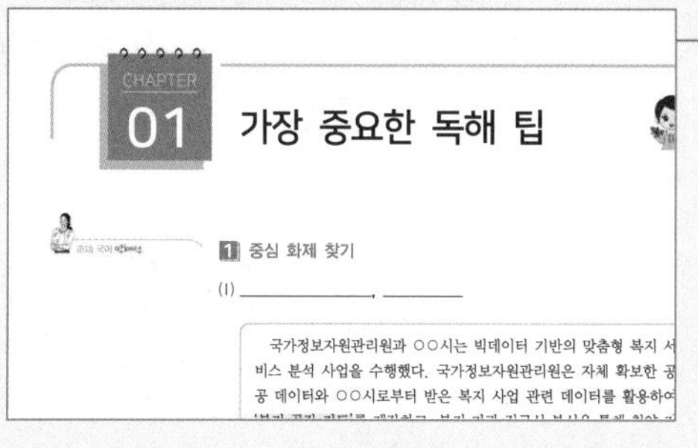
CHAPTER 01 가장 중요한 독해 팁

1 중심 화제 찾기

(1) ____________, ________

국가정보자원관리원과 ○○시는 빅데이터 기반의 맞춤형 복지 서비스 분석 사업을 수행했다. 국가정보자원관리원은 자체 확보한 공공 데이터와 ○○시로부터 받은 복지 사업 관련 데이터를 활용하여

5

가장 중요한 독해 팁

느낌으로 푸는 독해가 아니라 객관적인 근거로 빠르게 답을 찾아낼 수 있는 비기를 대방출하는 혜선 쌤의 강력한 독해 비기 파트입니다.

6

대표 발문

생각보다 시험을 볼 때 가장 중요한 발문! 발문을 어떻게 읽었는가에 따라 문제 접근 방식이 달라지므로 기출의 대표 발문을 각 파트마다 정리해 놓았습니다.

대표 赤功 발문

01 ㉠~㉣의 사례로 적절하지 않은 것은? 2022 국가직 9급
02 하버마스의 주장에 부합하는 사례로 가장 적절한 것은? 2021 국가직 9급
03 글의 내용을 구체적으로 설명하기 위한 예로 적절하지 않은 것은? 2019 국가
04 다음 글을 뒷받침하는 예로 적절하지 않은 것은? 2017 지방직 7급

출·좋·포 적용 사례 추론

출·좋·포 이론 서술 방식

1. 정태적 전개 방식

(1) 정의와 지정

출·좋·포 적용 서술 방식 문제 맞히기

❶ '서술 방식' 긍정 발문 유형

1. 정의, 예시, 인과, 열거, 비교, 대조, 분류, 분석, 유추 식)의 개념을 먼저 잘 숙지해야 한다. 이 단어들이 모두 숫하지만 전혀 다른 개념인 '정의와 지정', '분류와 분석을 잘 구별해야 한다.

2. 제시문의 내용 전개 방식을 고르는 문제 유형의 경우 파악한 후에 선택지를 확인한다. 공부를 하는 입장에 각각의 선택지가 어떠한 서술 방식으로 표현되었는지

7

독해 출.좋.포 이론/적용

- 비문학에서 반드시 정리해야 하는 독해 이론을 완벽하게 격파해 주는 중요한 섹션입니다.
- 각 독해 유형을 어떻게 전략적으로 접근해야 할지를 알려주는 섹션입니다. 이를 통해 각 독해 문제 유형별 풀이 전략을 습득하여 '공무원 국어'에 특화된 빠르고 정확한 독해를 가능하게 합니다.

8

메타인지 관리 표

완벽한 개념과 강력한 훈련만이 단기합격을 만들어 내기에, 자기 주도 학습이 가능한 메타인지 숙제 관리 표를 제공하여 자신의 학습 일정을 자신이 컨트롤할 수 있는 장치를 마련했습니다.

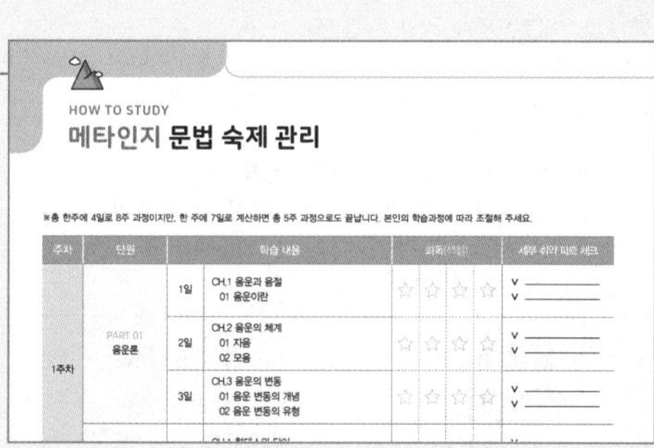
HOW TO STUDY
메타인지 문법 숙제 관리

주차	단원		학습 내용	회독	세부 취약 파트 체크
1주차	PART 01 음운론	1일	CH.1 음운과 음절 01 음운이란	☆ ☆ ☆ ☆	V / V
		2일	CH.2 음운의 체계 01 자음 02 모음	☆ ☆ ☆ ☆	V / V
		3일	CH.3 음운의 변동 01 음운 변동의 개념 02 음운 변동의 유형	☆ ☆ ☆ ☆	V / V

GUIDE

亦功 2023 국가직 9급 적중

2023 국가직 9급 6번

♥ 한자의 왕도 완벽 적중&하프, 일일 모고에서 7번 적중!! ♥

06 다음 글의 빈칸에 들어갈 사자성어로 적절한 것은?

> 세상에는 어려운 일들이 많지만 외국 여행 다녀온 사람의 입을 막는 것도 그중 하나이다. 특히 그것이 그 사람의 첫 외국 여행이었다면, 입 막기는 포기하고 미주알고주알 늘어놓는 여행 경험을 들어 주는 편이 정신 건강에 좋다. 그 사람이 별것 아닌 사실을 [　　　]하거나 특수한 경험을 지나치게 일반화한들, 그런 수다로 큰 피해를 입는 것도 아니지 않은가?

① 刻舟求劍　② 捲土重來
③ 臥薪嘗膽　④ 針小棒大

콤팩트 한자-한자의 왕도

완벽적중

90. 刻舟求劍(각주구검) 刻 새길 각 舟 배 주 求 구할 구 劍 칼 검	[칼이 떨어진 위치를 배에 표시하였다가 칼을 찾았... 유래하는 말로, 세상(世上-)에 어리석으며 융통성이 없... 미함.
3. 捲土重來(권토중래) 捲 거둘 권 土 흙 토 重무거울 중 來 올래(내)	흙먼지를 날리며 다시 온다는 뜻으로 한 번 실패하였으나 힘을 회복하여 다시 쳐들어옴.
39. 臥薪嘗膽(와신상담) 臥 누울 와 薪 섶 신 嘗 맛볼 상 膽 쓸개 담	[불편한 섶에 몸을 눕히고 쓸개를 맛본다]는 뜻으로, 원수를 갚거나 마음먹은 일을 이루기 위하여 온갖 어려움과 괴로움을 참고 견딤을 이르는 말
144. 針小棒大(침소봉대) 針 바늘 침 小작을 소 棒 막대 봉 大 클 대	작은 일을 크게 불리어 떠벌림.

일일 모고 12월 2회

09 다음 글의 문맥을 고려할 때, ( ) 안에 들어갈 말로 가장 적절한 것은?

> 어린별 공주는 백양나무를 향해
> "인간이 내린 가치 판단이 (　　) 격이라면, 그러면 이 세상에 존재하는 것들의 가치 있고 없음은 누가 판단해야 하는가요?"
> 하고 물었다.
> 백양나무는 거침없이 당당하게 대답했다.
> "하늘의 뜻, 그리고 땅의 질서, 말하자면 자연의 법칙이나 섭리, 우주의 질서가 판단하는 거야."
> – 한승원, '참새의 섬'

① 面從腹背　② 我田引水
③ 刻舟求劍　④ 百年河淸

일일 모고 11월 5회

09 한자 성어의 쓰임으로 옳지 않은 것은?

① 그는 전후 상황을 不問曲直하여 오해하고 말았다.
② 어차피 道聽塗說일 뿐일텐데, 내가 그것을 들어야 하니?
③ 背恩忘德한 사람과는 상종하고 싶지 않다.
④ 세상일에 어두운 刻骨難忘으로 많은 상처를 받았다.

11-12월 적중 하프 5회

09 밑줄 친 한자 성어의 쓰임이 적절하지 않은 것은?

① 그는 이번 실패에 굴하지 않고 捲土重來를 꿈꾸고 있다.
② 그는 魚魯不辨으로 부당 이득을 취한 혐의를 받고 있다.
③ 그는 이번 사건에 吾不關焉하면서 책임을 회피하고 있다.
④ 그의 말이 羊頭狗肉으로 평가받는 것은 겉만 그럴듯해서이다.

7월 적중 하프 1회

09 다음 문맥상 맞지 않는 한자 성어는?

① 철수는 面從腹背 (면종복배)인 행동을 보이므로 그를 조심해야 한다.
② 이번에는 실패했지만 그는 이후에 捲土重來 권토중래) 하였다.
③ 〈구운몽〉은 인생의 덧없음을 의미하는 望雲之情 (망운지정)의 주제를 드러낸다.
④ 윤선도는 유배 생활 속에서도 安分知足 (안분지족)하는 삶의 자세를 지향했다.

11-12월 적중 하프 5회

다음 문맥상 한자 성어의 쓰임이 다른 하나는?

① 철수는 작년에는 영수에게 졌지만 다음 해에 捲土重來하여 돌아왔다.
② 亦功이는 艱難辛苦 하였지만 곧 합격의 기쁨을 맛보았다.
③ 亦功이는 어딜 가나 뛰어나 群鷄一鶴이었다.
④ 亦功이의 刮目相對한 모습에 혜선 쌤은 매우 안타까워했다.

1-2월 적중 하프 13회 4번

04 다음 한자 성어의 쓰임으로 옳지 않은 것은?

① 스승님께 結草報恩하여 꿈을 이루도록 도와드렸다.
② 조선 초기에는 格物致知를 존중하는 경험적 학풍이 지배적이었다.
③ 臥薪嘗膽의 불성실한 자세로는 어떠한 성과도 내기 힘들다.
④ 숱한 역경을 헤치고 공직의 길에 들어선 철수의 좌우명은 磨斧爲針이다

11-12월 적중 하프 8회

09 밑줄 친 사자성어의 쓰임이 적절하지 않은 것은?

① 그는 결단력이 없어 좌고우면(左顧右眄)하다가 적절한 대응시기를 놓쳐 버렸다.
② 다수의 기업이 새로운 투자보다 변화에 대한 암중모색(暗中摸索)을 시도하고 있다.
③ 그 친구는 침소봉대(針小棒大)하는 경향이 있어서 하는 말을 곧이곧대로 믿기 어렵다.
④ 그 사람이 경제적으로 매우 어려운 상황에서 성공한 것은 연목구어(緣木求魚)나 마찬가지이다

7월 적중 하프 2회, 12월 일일 모고 11회

10 다음 한자 성어의 쓰임이 옳지 않은 것은?

① 재테크를 할 때에는 부화뇌동(附和雷同)하는 태도를 버려야 한다.
② 사람과의 관계에서는 역지사지(易地思之)를 잘해야 한다.
③ 언론인은 침소봉대(針小棒大)하는 자세로 기사를 써야 한다.
④ 대안을 찾기 위해 암중모색(暗中摸索)을 시도하였다.

2023 국가직 9급 9번

♥ 선택지 일일모고, 하프, 동형에서 여러 번 완벽 적중 ♥

10 ㉠ ~ ㉣의 한자로 적절하지 않은 것은?

> 예정보다 지연되긴 했으나 열 시쯤에는 마애불에 ㉠ 도착할 수가 있었다. 맑은 날씨에 빛나는 햇살이 환히 비춰 ㉡ 불상들은 불그레 물들어 있었다. 만일 신비로운 ㉢ 경지라는 말을 할 수 있다면 바로 이런 경우가 아닐지 모르겠다. 꼭 보고 싶다는 숙원이 이루어진 기쁨에 가슴이 벅차 왔다. 아마 잊을 수 없는 ㉣ 추억의 한 토막으로 남을 것 같다.

① ㉠: 到着 ② ㉡: 佛像
③ ㉢: 境地 ④ ㉣: 記憶

4월 적중 하프 6회

완벽적중

04 다음 한자 표기로 옳은 것은?

① 삶에 대한 통찰(通察)이 잘 드러나는 책이었다.
② 감기가 심하게 들었는지 오한(惡寒)이 났다.
③ 오늘은 시간 여유가 있어서 쓰레기를 배출(輩出)하였다.
④ 그 이론을 기술(記述)적으로 가능하게 하는 것은 어렵다.

1-2월 적중 하프 4회

10 밑줄 친 부분의 한자 사용이 적절하지 않은 것은?

> 우리나라는 자연 자원은 없지만 반도체 ㉠技術은 굉장히 뛰어나다. 하지만 초반에는 반도체를 현실에 어떻게 ㉡技術的으로 실현할지가 관건이었다. 그래서 반도체에 관련된 정확한 ㉢記述을 바탕으로 구체적 계획들을 수립하였다. 또한 이론적으로는 가능해 보이지만, ㉣記述的으로 불가능한 계획들은 폐기하였다.

① ㉠ ② ㉡ ③ ㉢ ④ ㉣

10월 스파르타 일일 모고 14회 9번

09 다음 한자 표기로 옳은 것은?

① 삶에 대한 통찰(通察)이 잘 드러나는 책이었다.
② 감기가 심하게 들었는지 오한(惡寒)이 났다.
③ 오늘은 시간 여유가 있어서 쓰레기를 배출(輩出)하였다.
④ 그 이론을 기술(記述)적으로 가능하게 하는 것은 어렵다.

12월 스파르타 일일 모고 8회 10번

10 다음 밑줄 친 한자의 표기가 적절한 것은?

① 그것은 이론적으로는 가능해 보이지만, 기술적(記述的)으로 불가능하다.
② 우리 학교는 많은 인재를 배출(排出)한 명문 학교이다.
③ 음모가 들통나자 그는 궁지(宮趾)에 몰렸다.
④ 우리는 급전이 필요할 때마다 서로 돈을 취대(取貸)하였다.

[국가직 대비] 2023 박혜선 국어 파이널 적중 동형 모의고사 [시즌 1] 7회 17번

17 다음 한자 표기가 옳지 않은 것은?

> 서양의 과학적 ㉠ 사고가 물체를 부분들로 구성되었다고 보고 불변하는 요소들을 ㉡분석함으로써 본질 파악을 ㉢추구하였다면, 동양은 사이 즉, 요소들 간의 ㉣ 관련성에 초점을 두었다.

① ㉠ 思考 ② ㉡ 分析 ③ ㉢ 追構 ④ ㉣ 關聯

GUIDE

亦功 2023 국가직 9급 적중

2023 국가직 9급 9번

♥ 파이널 특강과 콤단문에서 선택지 완벽 적중 ♥

09 ㉠~㉣ 중 한글 맞춤법에 맞게 쓰인 것만을 모두 고르면?

> ○ 혜인 씨에게 ㉠무정타 말하지 마세요.
> ○ 재아에게는 ㉡섭섭치 않게 사례해 주자.
> ○ 규정에 따라 딱 세 명만 ㉢선발토록 했다.
> ○ ㉣생각컨대 그의 보고서는 공정하지 못했다.

완벽적중

① ㉠, ㉡　② ㉠, ㉢
③ ㉡, ㉣　④ ㉢, ㉣

2023 박혜선 국어 적중 족집게 문법 특강 [1년 문법을 4시간으로 압축] 87번

출.시.표 ⑥ 어간의 끝음절 '하'가 줄어드는 방식

1. '하' 앞의 받침의 소리가 [울림소리]: 하'의 'ㅏ'만 탈락되어 거센소리가 되는 경우

예 무능ㅎ+다: 무능타 / 부지런ㅎ+다: 부지런타 / 아니ㅎ+다: 아니타 / 감탄ㅎ+게: 감탄케 / 달성ㅎ+게: 달성케 / 분발ㅎ+도록: 분발토록 / 실천ㅎ+도록: 실천토록

87 **다음 올바르게 표기된 경우가 아닌 것은?**

> • 어간의 끝음절 '하'의 'ㅏ'가 줄고 'ㅎ'이 다음 음절의 첫소리와 어울려 거센소리로 될 적에는 거센소리로 적는다.
> • 어간의 끝음절 '하'가 아주 줄 적에는 준 대로 적는다.

① 갑갑지 않다.　② 공부케 두다.
③ 삼가치 않다.　④ 절실치 못했다.

78. **맞춤법 사용이 올바르지 않은 것으로만 묶인 것은?**

① 이면수구이, 사흗날, 베갯잇
② 닐리리, 남존녀비, 칼치구이
③ 적잖은, 생각건대, 하마터면
④ 홑몸, 밋밋하다, 선율

2023 국가직 9급 15번

♥ 파이널 특강에서 선택지 여러 번 적중 ♥

15 **밑줄 친 단어가 표준어 규정에 맞게 쓰인 것은?**

① 저기 보이는 게 암염소인가, 수염소인가?
② 오늘 윗층에 사시는 분이 이사를 가신대요.
③ 봄에는 여기저기에서 아지랭이가 피어오른다.
④ 그는 수업을 마치면 으레 친구들과 운동을 한다.

2023 박혜선 국어 적중 족집게 문법 특강 [1년 문법을 4시간으로 압축] 45번

45 **맞춤법에 맞는 어휘로 짝지어진 것은?**

① 아등바등 – 도떼기시장 – 허구하다
② 황소 – 장끼 – 돐(생일)
③ 삵괭이 – 사글세 – 햇님
④ 오뚝이 – 아지랭이 – 찰지다

2023 박혜선 국어 적중 족집게 문법 특강 [1년 문법을 4시간으로 압축] 67번

67 **다음 중 표준어가 모두 옳은 것은?**

① 웃목, 웃옷　　② 웃기, 윗옷
③ 웃비, 윗국　　④ 윗눈썹, 윗층

2023 박혜선 국어 적중 족집게 문법 특강 [1년 문법을 4시간으로 압축] 63번

63 **맞춤법에 맞는 어휘로 짝지어진 것은?**

① 덩쿨 – 눈두덩이 – 놀이감
② 윗어른 – 호루라기 – 숫양
③ 마을꾼 – 눈커풀 – 닥달하다.
④ 주책 – 두루뭉술하다 – 허드레

'양, 염소, 쥐('양념쥐'로 외우기)'에는 '숫-'을 붙이므로 '숫양'은 표준어이다.

HOW TO STUDY

문법 7개년 국가직/지방직 9급 기출 경향

국가직 9급 경향

연도	일반 문법	어문 규정
2023		① 한글 맞춤법 〉 '하다'의 준말 ② 표준어 규정
2022	① [작문] 문장 고쳐쓰기 ② 담화론 지시 표현	① 한글 맞춤법 〉 혼동 어휘 ② 한글 맞춤법 〉 혼동 어휘 ③ 한글 맞춤법 〉 사이시옷
2021	① 의미론 〉 같은 문맥적 의미 찾기 ② [작문] 올바른 문장 고쳐쓰기 ③ 언어의 특성	① 표준어 규정
2020	① 통사론 〉 문장의 짜임새 〉 안긴문장 ② 통사론 〉 문장 성분의 호응 ③ [작문] 올바른 문장 고쳐쓰기 ④ 음운론 〉 음운의 체계	① 한글 맞춤법 〉 올바른 맞춤법 ② 한글 맞춤법 〉 사전 배열 순서
2019	① 형태론 〉 품사 ② 음운론 〉 음운 변동 ③ 통사론 〉 높임법 ④ 의미론 〉 의미의 변화	
2018	① 음운론 〉 음운 변동 ② 의미론 〉 반의 관계 ③ 고전문법의 형태론 〉 어미, 조사, 접사 ④ [작문] 올바른 문장 고쳐쓰기	① 로마자 표기법 ② 띄어쓰기
2017 추가 채용	① 통사론 〉 높임법 ② 형태론 〉 품사 ③ 형태론 〉 용언의 활용 ④ 형태론 〉 단어의 형성 ⑤ [작문] 올바른 문장 고쳐쓰기	① 한글 맞춤법 〉 혼동 어휘 ② 띄어쓰기 ③ 한글 맞춤법 〉 구개음화 ④ 한글 맞춤법 〉 혼동 어휘
2017	① 의미론 〉 같은 문맥적 의미 찾기 ② 형태론 〉 단어의 형성 〉 접두사 ③ 형태론 〉 용언의 활용 ④ 고전문법 〉 훈민정음의 자모 체계 ⑤ 음운론 〉 음운의 체계	① 한글 맞춤법 〉 혼동 어휘 ② 띄어쓰기

지방직 9급 경향

연도	일반 문법	어문 규정
2022	① 표준 언어 예절 ② 단어의 통시적 변화 ③ 사람의 몸을 지시하는 말(사실상 한자 문제)	① 한글 맞춤법 〉 접사 '이'의 쓰임
2021	① [작문] 올바른 문장 고쳐쓰기	① 한글 맞춤법 〉 올바른 맞춤법 ② 한글 맞춤법 〉 '로써/로서'의 쓰임
2020	① 의미론 〉 중복된 의미 ② 형태론 〉 활용	① 한글 맞춤법 〉 올바른 맞춤법 ② 띄어쓰기
2019	① 의미론 〉 반의 관계 ② 음운론 〉 음운변동 ③ [작문] 올바른 문장 고쳐쓰기 ④ 의미론 〉 문맥적 의미	① 띄어쓰기
2018	① 의미론_같은 문맥적 의미 찾기 ② 통사론 〉 사동법 ③ 고쳐쓰기 ④ 고전문법 〉 훈민정음의 체계	① 띄어쓰기 ② 한글 맞춤법
2017 추가 채용	① 표준 언어 예절 ② [작문] 올바른 문장 고쳐쓰기 ③ 형태론 〉 명사형 어미와 명사화 접미사의 구별 ④ 형태론 〉 품사 〉 대명사 ⑤ 형태론 〉 단어의 형성	① 한글 맞춤법 〉 혼동 어휘 ② 띄어쓰기 ③ 외래어 표기법
2017	① 통사론 〉 높임법 ② 형태론 〉 품사 ③ 의미론 〉 유의 관계 ④ 형태론 〉 품사 〉 대명사	① 한글 맞춤법 ② 표준어 규정

HOW TO STUDY

문학 8개년 국가직/지방직 9급 기출 경향

국가직 9급 경향

연도	구분	작품	구분	작품
2023	현대 운문	박재삼, <매미 울음 끝에>	현대 산문	김승옥, <무진기행>
	고전 운문	작자 미상, <어이 못 오던가>	고전 산문	
2022	현대 운문	신동엽, <봄은>	현대 산문	이태준, <패강랭>
	고전 운문	유응부, <간밤의 부던ᄇᆞ람에> 이항복, <철령(鐵嶺) 높은 봉(峰)에> 계랑, <이화우(梨花雨) 흣ᄲᅮ릴 제> 조식, <삼동(三冬)의 뵈옷 닙고>	고전 산문	김만중, <구운몽>
2021	현대 운문	조병화, <나무의 철학>	현대 산문	이상, <권태> 김정한, <산거족>
	고전 운문	작자 미상, <動動> 황진이, <동짓ᄃᆞᆯ 기나긴 밤을> 성혼, <말 업슨 청산(靑山)이오> 이현보, <농암(籠巖)에 올라보니> 박인로, <반중(盤中) 조홍(早紅)감이>	고전 산문	
2020	현대 운문	박남수, <아침 이미지> 김소월, <산유화>	현대 산문	조세희, <난장이가 쏘아 올린 작은 공> 양귀자, <비 오는 날이면 가리봉동에 가야 한다>
	고전 운문	김창협, <산민> 이달, <제총요(祭塚謠)>	고전 산문	일연, 《삼국유사》
2019	현대 운문	신동엽, <이야기하는 쟁기꾼의 대지>	현대 산문	이강백, <파수꾼> 황순원, <목넘이 마을의 개>
	고전 운문	박인로, <누항사(陋巷詞)> 허난설헌, <사시사(四時詞)>	고전 산문	작자 미상, <춘향전>
2018	현대 운문	곽재구, <사평역에서>	현대 산문	김유정, <봄봄>
	고전 운문	정철, <내 마음 베어 내어> 임제, <무어별(無語別)>	고전 산문	김만중, <구운몽>
2017 추가 채용	현대 운문	박재삼, <울음이 타는 가을 강>	현대 산문	법정스님, <무소유> 김승옥, <무진기행>
	고전 운문	황진이, <어져 내 일이야>, <靑山은 내 ᄠᅳᆺ이오>, <冬至ㅅᄃᆞᆯ 기나긴 밤을>, <山은 녯 山이로되>	고전 산문	허균, <홍길동전>
2017	현대 운문	정희성, <저문 강에 삽을 씻고> 김기림, <바다와 나비>	현대 산문	황석영, <삼포 가는 길> 최일남, <노새 두 마리> 오정희, <중국인 거리> 박태원, <소설가 구보 씨의 일일>
	고전 운문	작자 미상, <구지가>	고전 산문	작자미상, <유충렬전>

지방직 9급 경향

2022	현대 운문	김소월, <산>	현대 산문	이효석, <메밀꽃 필 무렵> 황석영, <삼포 가는 길>
	고전 운문	심환지, <육각지하화원소정염운(六閣之下花園小亭拈韻)>	고전 산문	작자 미상, <홍계월전> 작자 미상, <장끼전>
2021	현대 운문	조지훈, <봉황수>	현대 산문	강신재, <젊은 느티나무> 박경리, <토지> 김훈, <수박> 이강백, <느낌, 극락 같은>
	고전 운문	길재, <오백년 도읍지를>	고전 산문	작자 미상, <춘향전>
2020	현대 운문	함민복, <그 샘>	현대 산문	오정희, <중국인 거리>
	고전 운문		고전 산문	작자 미상, <봉산탈춤> 이첨, <저생전> 작자 미상, <주몽신화>
2019	현대 운문	반영론적 관점 + 박목월, <나그네>	현대 산문	이호철, <닳아지는 살들> 신영복, <독서칼럼>
	고전 운문	이황, <고인(古人)도 날 몯 보고> 윤선도, <술은 어이ᄒᆞ야 됴ᄒᆞ니> 작자미상, <우레ᄀᆞᆺ치 소ᄅᆡ나는 님을> 권섭, <하하 허허 ᄒᆞᆫ들>	고전 산문	김만중, 《사씨남정기》
2018	현대 운문	박목월, <청노루>	현대 산문	염상섭, <삼대>
	고전 운문	정훈, 〈탄궁가〉 정철, <마을 사람들아>	고전 산문	임춘, <공방전> 작가 미상, 〈흥부전〉
2017 추가 채용	현대 운문	이형기, <낙화>	현대 산문	조세희, <난쟁이가 쏘아 올린 작은 공>
	고전 운문	월명사, <제망매가(祭亡妹歌)>	고전 산문	
2017	현대 운문	정지용, <忍冬茶>	현대 산문	김유정, <만무방>
	고전 운문	변계량, <내ᄒᆡ 죠타 ᄒᆞ고> 정철, <재 너머 셩권농(成勸農) 집의> 허난설헌,<春雨>	고전 산문	
2016	현대 운문		현대 산문	김동인, <광염 소나타> 박태원, <천변풍경>
	고전 운문		고전 산문	작자 미상, <주몽신화>

HOW TO STUDY

비문학 5개년 국가직/지방직 9급 기출 경향

국가직 9급 경향

2023	작문 – 조건 적용 내용 생성 비문학 – 문단 배열 비문학– 내용 불일치 비문학– 내용 추론 작문 – 독해 내용 고쳐쓰기 비문학– 내용 불일치	화법 – 말하기 방식 비문학 – 빈칸 추론 비문학– 내용 일치 비문학– 내용 불일치 비문학– 내용 일치 비문학– 내용 일치
2022	화법 말하기 방식 2문제 일반 추론 부정 발문 내용 일치 부정 발문 문장 전개 순서	사례 추론 서술 방식 문단 전개 순서 내용 일치 긍정 발문
2021	토의 말하기 방식, 공손성의 원리 글의 설명 방식 글의 서술 방식(비유) 사례 추론 2문제	문장, 문단 배열 순서 내용 불일치 빈칸 추론 내용 추론 불일치
2020	내용 불일치 화법 의사소통 방식(말하기 방식), 화법 'A'의 대화 진행 전략(말하기 방식) 글의 전개방식(서술 방식–인과) 내용 일치	빈칸 추론 2문제 내용 불일치 내용 추론 불일치 밑줄 추론
2019	화법 이론 '토론 논제 고르기' 화법 공감적 듣기 화법 말하기 방식 빈칸 추론(골계, 해학, 풍자) 문장 하나 배열하기 내용 추론 불일치[(가)와 (나) 추론]	글쓰기 전략(설명 방식) 내용 추론 일치[(가)와 (나) 추론] 내용 불일치 사례 추론 중심내용 찾기[(가),(나),(다),(라)]

지방직 9급 경향

2022	주된 서술 방식(묘사) 내용 불일치 2문제 밑줄 추론(밑줄 내용 일치_파놉티콘, 시놉티콘) 문단 배열 순서(전개 순서)	화법 말하기 방식 내용 불일치 글의 주제 찾기 PSAT 추론 2문제
2021	화법 말하기 방식 사례 추론 내용 일치 2문제 글의 결론 찾기(중심 내용) 내용 불일치	지시 대상 접속어 추론 빈칸 추론 내용 추론 일치
2020	화법 공손성의 원리(말하기 방식) 작문 내용 생성 2문제 글의 주장(중심 내용 찾기) 2문제 밑줄 추론(바이러스)	문단 배열 순서(전개 순서) 내용 추론 불일치 지시 대상(다른 주체 찾기)
2019	화법 토론에서 사회자의 역할 화법 진행자의 말하기 방식 글쓰기 방식(설명 방식) 내용 일치 2문제	제목 찾기 내용 불일치 내용 추론 불일치
2018	화법 의사소통 장애(말하기 방식) 밑줄 추론 문단의 배열 순서(전개 순서) 내용 추론 불일치 2문제	화법 간접 발화 내용 불일치 작문 조건에 부합하는 글 찾기

HOW TO STUDY

메타인지 문법 숙제 관리

※총 한주에 4일로 8주 과정이지만, 한 주에 7일로 계산하면 총 5주 과정으로도 끝납니다. 본인의 학습과정에 따라 조절해 주세요.

주차	단원	학습 내용		회독(색칠)	세부 취약 파트 체크
1주차	PART 01 음운론	1일	CH.1 음운과 음절 01 음운이란	☆ ☆ ☆ ☆	V ______ V ______
		2일	CH.2 음운의 체계 01 자음 02 모음	☆ ☆ ☆ ☆	V ______ V ______
		3일	CH.3 음운의 변동 01 음운 변동의 개념 02 음운 변동의 유형	☆ ☆ ☆ ☆	V ______ V ______
	PART 02 형태론	4일	CH.1 형태소와 단어 01 형태소와 단어의 이해	☆ ☆ ☆ ☆	V ______ V ______
2주차		5일	02 단어의 형성	☆ ☆ ☆ ☆	V ______ V ______
		6일	CH.2 품사의 이해와 체언 01 품사의 이해 02 체언: 명사, 대명사, 수사	☆ ☆ ☆ ☆	V ______ V ______
		7일	CH.3 용언 01 용언: 동사, 형용사	☆ ☆ ☆ ☆	V ______ V ______
		8일	02 용언의 활용	☆ ☆ ☆ ☆	V ______ V ______
3주차		9일	CH.4 관계언/수식언/독립언 01 관계언: 조사	☆ ☆ ☆ ☆	V ______ V ______
		10일	02 수식언: 관형사, 부사 03 독립언: 감탄사	☆ ☆ ☆ ☆	V ______ V ______
	PART 03 통사론	11일	CH.1 문장과 문장 성분 01 문장이란? 02 문장 성분의 종류와 특성	☆ ☆ ☆ ☆	V ______ V ______
		12일	CH.2 문장의 짜임새 01 문장의 짜입새	☆ ☆ ☆ ☆	V ______ V ______
4주차		13일	02 문장의 확대	☆ ☆ ☆ ☆	V ______ V ______

주차	단원	학습 내용		회독(색칠)				세부 취약 파트 체크
4주차	PART 03 통사론	14일 15일	CH.3 높임	☆	☆	☆	☆	V ____ V ____
4주차	PART 03 통사론	16일	CH.4 사동/피동 01 사동	☆	☆	☆	☆	V ____ V ____
5주차	PART 03 통사론	17일	02 피동	☆	☆	☆	☆	V ____ V ____
5주차	PART 04 어문 규정	18일 19일	CH.1 표준 발음법	☆	☆	☆	☆	V ____ V ____
5주차 / 6주차	PART 04 어문 규정	20일 21일 22일	CH.2 표준어 규정	☆	☆	☆	☆	V ____ V ____
6주차 / 7주차	PART 04 어문 규정	23일 24일 25일	CH.3 한글 맞춤법	☆	☆	☆	☆	V ____ V ____
7주차	PART 05 문학	26일 27일	CH.1 문학 이론	☆	☆	☆	☆	V ____ V ____
7주차	PART 06 독해	28일	CH.1 가장 중요한 비문학 팁	☆	☆	☆	☆	V ____ V ____
8주차	PART 06 독해	29일	CH.2 설명 방식	☆	☆	☆	☆	V ____ V ____
8주차	PART 06 독해	30일	CH.3 중심 화제, 주제, 제목 찾기 CH.4 중심 내용 찾기	☆	☆	☆	☆	V ____ V ____
8주차	PART 06 독해	31일	CH.5 내용 일치, 불일치 CH.6 문장, 문단 배열하기	☆	☆	☆	☆	V ____ V ____
8주차	PART 06 독해	32일	CH.7 사례 추론 CH.8 빈칸 추론+이어질 내용 추론	☆	☆	☆	☆	V ____ V ____

CONTENTS

이 책의 차례

Part 04 | 어문 규정

Part 05 | 문학

Part 06 | 독해

시작!
박혜선 국어

PART

01

음운론

음운과 음절

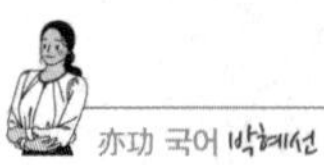

01 음운

1 음운이란

1. 음운의 개념

의미를 변별하는 가장 작은 소리의 단위

- '강/방/상'의 뜻을 구별해 주는 'ㄱ/ㅂ/ㅅ'은 자음이다.
- '강/공/궁'의 뜻을 구별해 주는 'ㅏ/ㅗ/ㅜ'는 모음이다.

] 분절 음운(음소)

- '눈[눈]과 눈[눈:]'의 뜻을 구별해 주는 [:]은 소리의 길이이다.
- '집에 가. 가? 가!'에서 뜻을 구별해주는 억양이다.

] 비분절 음운(운소)

2. 음운의 종류

음운 = 분절 음운(자음, 모음) + 비분절 음운(소리의 장단)

출·좋·표 **비분절 음운도 음운이다.**

예 눈[눈] = (눈) / 눈[눈:] = 하늘에서 내리는 눈
밤[밤] = 캄캄한 밤 / 밤[밤:] = (밤)

★ 의미를 변별해 주므로 소리의 장단(비분절 음운)도 음운이다.

MEMO

음운의 체계

01 자음

1 자음이란?

공기가 목청을 통과해 목 안이나 입안에서 장애를 받으면서 나는 소리

자음의 분류 기준

1. 조음 위치
2. 조음 방법
3. 소리의 세기
4. 목청의 떨림 여부

조음 방법 \ 조음 위치			입술소리 (= 양순음)	혀끝소리 (= 설단음, 치조음)	센입천장소리 (= 경구개음)	여린입천장소리 (= 연구개음)	목청소리 (= 후두음)
안울림소리 무성음	파열음	예사소리	ㅂ	ㄷ		ㄱ	
		된소리	ㅃ	ㄸ		ㄲ	
		거센소리	ㅍ	ㅌ		ㅋ	
	파찰음	예사소리			ㅈ		
		된소리			ㅉ		
		거센소리			ㅊ		
	마찰음	예사소리		ㅅ			ㅎ
		된소리		ㅆ			
울림소리 유성음	비음		ㅁ	ㄴ		ㅇ	
	유음			ㄹ			

2 자음의 분류

1. 조음 위치에 따른 자음의 분류

구분	설명	자음
양순음(兩脣音) 입술소리	두 입술이 닿았다가 떨어지면서 나는 소리	ㅁ, ㅂ, ㅃ, ㅍ
치조음(齒槽音) 혀끝소리	윗잇몸에 혀끝이 닿았다가 떨어지면서 나는 소리	ㄴ, ㄷ, ㄸ, ㅌ, ㅅ, ㅆ, ㄹ
경구개음(硬口蓋音) 센입천장소리	경구개(센입천장)에 혓바닥이 닿았다가 떨어지면서 나는 소리	ㅈ, ㅉ, ㅊ
연구개음(軟口蓋音) 여린입천장소리	연구개(여린입천장)에 혀의 뒤가 닿았다가 떨어지면서 나는 소리	ㄱ, ㄲ, ㅋ, ㅇ
후두음(喉頭音) 목청소리	목청 사이에서 나는 소리	ㅎ

조음 위치 자음 외우기
양순음: 마법빨판
치조음: 똥통도 쌍수나라
경구개음: 참짜증
연구개음: 가까워ㅋ
후두음: ㅎ

2. 조음 방법에 따른 분류

구분	설명	자음
파열음(破裂音)	폐에서 나오는 공기를 일단 막았다가 그 막은 자리를 터뜨리면서 내는 소리	ㄱ, ㄲ, ㅋ, ㄷ, ㄸ, ㅌ, ㅂ, ㅃ, ㅍ
파찰음(破擦音)	폐에서 나오는 공기를 경구개에서 막았다가 살짝 떼어 좁혀진 사이로 공기가 마찰되어 나는 소리. 파열음+마찰음의 성질을 가져서 '파찰음'	ㅈ, ㅉ, ㅊ
마찰음(摩擦音)	입 안이나 목청 따위의 조음 기관(調音器官)이 좁혀진 사이로 공기가 비집고 나오면서 마찰하여 나는 소리	ㅅ, ㅆ, ㅎ
비음(鼻音)	코 안을 울리면서 내는 소리	ㄴ, ㅁ, ㅇ
유음(流音)	혀끝을 윗잇몸에 대었다가 떼거나 잇몸에 댄 채 날숨을 그 양옆으로 흘려보내면서 내는 소리. 'ㄹ' 뿐임.	ㄹ

조음 방법 자음 외우기
파열음: 바닷가
파찰음: 재(참짜증)
마찰음: 사 하(쌍수해)
비음: 미녀야
유음: 룰루~

3. 소리의 세기에 따른 분류

예사(例事)소리 평음(平音)	ㄱ, ㄷ, ㅂ, ㅅ, ㅈ 등의 보통의 소리
된소리 경음(硬音)	'ㄲ, ㄸ, ㅃ, ㅆ, ㅉ' 등과 같이 되게 발음되는 단자음
거센소리 격음(激音)	'ㅊ, ㅋ, ㅌ, ㅍ' 따위와 같은 파열음. 곧, 거센 숨을 따라서 나는 소리

4. 목청의 울림 여부에 따른 분류

울림소리 (= 유성음)	모음, ㅁ, ㄴ, ㅇ, ㄹ
안울림소리 (= 무성음)	울림소리를 제외한 모든 자음

대표 赤功 기출

현대 한국어의 양순음에 대한 설명으로 옳은 것을 〈보기〉에서 모두 고른 것은? 2018. 서울시 7급

보기

㉠ 양순음에는 'ㅂ, ㅃ, ㅍ, ㅁ' 등이 있다.
㉡ 양순음은 파열음과 마찰음이 골고루 발달되어 있다.
㉢ 'ㅁ'은 비음이지 양순음은 아니다.
㉣ 양순음은 발음 과정에서 윗입술과 아랫입술이 닿는 공통점이 있다.

① ㉠, ㉡ ② ㉡, ㉢
③ ㉠, ㉣ ④ ㉡, ㉣

㉠, ㉣은 옳다.

오답풀이 ㉡ 양순음 'ㅁ, ㅂ, ㅃ, ㅍ'은 조음 방법으로 볼 때 파열음(ㅂ, ㅃ, ㅍ)과 비음(ㅁ, ㄴ, ㄹ, ㅇ)이 발달되어 있으므로 '마찰음'이 발달되어 있다는 설명은 옳지 않다.
㉢ 'ㅁ'은 조음 방법으로 볼 때 비음이며 조음 위치로 볼 때 양순음이다.

정답 ③

02 모음

☑ 역공 포인트

1. 모음의 체계표 외우기
2. 모음의 종류와 분류 기준 외우기

1 모음이란?

울림소리(유성음)로, 목 안 또는 입 안에서 장애 없이 나는 소리

2 모음의 분류

1. **단모음(10개)**: 발음 도중에 혀나 입술이 고정되어 움직이지 않는 소리로, 10개이다.

혀의 위치 / 입술 모양 / 혀의 높이	전설 모음		후설 모음	
	평순 모음	원순 모음	평순 모음	원순 모음
고모음	ㅣ	ㅟ	ㅡ	ㅜ
중모음	ㅔ	ㅚ	ㅓ	ㅗ
저모음	ㅐ		ㅏ	

설명이 옳지 않은 것은? 2017. 국가직 9급

① 'ㄴ, ㅁ, ㅇ'은 유음이다.
② 'ㅅ, ㅆ, ㅎ'은 마찰음이다.
③ 'ㅡ, ㅓ, ㅏ'는 후설 모음이다.
④ 'ㅟ, ㅚ, ㅗ, ㅜ'는 원순 모음이다.

'ㄴ, ㅁ, ㅇ'은 유음이 아니라 비음이다.

정답 ①

음운의 변동

01 음운 변동의 개념

어떤 음운이 주변 환경에 따라 교체, 축약, 탈락, 첨가되는 현상

02 음운 변동의 유형

1 교체(대치)

한 음운이 다른 음운으로 바뀌는 현상 (XAY → XBY).
∴ 음운의 개수 변함 없음.

<table>
<tr>
<td>음절의 끝소리 규칙
대표음화, 중화</td>
<td>받침이 음절 끝에 올 때에는 표기된 대로 발음되는 것이 아니라 대표음(ㄱ, ㄴ, ㄷ, ㄹ, ㅁ, ㅂ, ㅇ)으로 발음되는 현상
<table>
<tr><th>음절의 끝소리</th><th>대표음</th><th>예시</th></tr>
<tr><td>ㄲ, ㅋ</td><td>ㄱ</td><td>예 밖[박], 키읔[키윽]</td></tr>
<tr><td>ㅌ, ㅅ, ㅆ, ㅈ, ㅊ, ㅎ</td><td>ㄷ</td><td>예 낱[낟], 낫고[낟꼬], 났다[낟따],
낮[낟], 낯[낟], 히읗[히읃]</td></tr>
<tr><td>ㅍ</td><td>ㅂ</td><td>예 앞[압]</td></tr>
</table>
</td>
</tr>
<tr>
<td>된소리되기</td>
<td>① 안울림소리 + 안울림소리
예 역도[역또], 닫기[닫끼], 극비[극삐]
② 어간 받침 ‘ㄴ(ㄵ), ㅁ(ㄻ), ㄼ, ㄾ’ + 예사소리
예 넘다[넘ː따], 안고[안ː꼬], 넓게[널께], 핥다[할따]
③ 용언의 관형형 ‘-ㄹ’ 뒤 + 예사소리
예 만날 사람[만날싸람]
④ 한자어의 ‘ㄹ’ 받침 + ‘ㄷ, ㅅ, ㅈ’
예 발달[발딸], 발생[발쌩], 발전[발쩐], 몰상식[몰쌍식], 갈등[갈뜽],
불세출[불쎄출],
예외) 불법[불법 / 불뻡] 열병[열병]</td>
</tr>
</table>

자음 동화	비음화	순행 동화	받침 ㅁ, ㅇ + 첫소리 ㄹ[→ ㄴ] 예 담력[담녁], 종로[종노]
		역행 동화	받침 ㅂ, ㄷ, ㄱ [→ ㅁ, ㄴ, ㅇ]+첫소리 ㅁ, ㄴ 예 입는다[임는다], 닫는[단는], 국민[궁민]
		상호 동화	받침 ㅂ, ㄷ, ㄱ[→ ㅁ, ㄴ, ㅇ] +첫소리 ㄹ[→ ㄴ] 예 협력[혐녁], 몇 리[면니], 독립[동닙]
	유음화	순행 동화	받침 ㄹ+ 첫소리 ㄴ[→ ㄹ] 예 칼날[칼랄], 찰나[찰라]
		역행 동화	받침 ㄴ[→ ㄹ] +첫소리 ㄹ 예 신라[실라], 난로[날로]
	구개음화		받침 ㄷ, ㅌ[→ ㅈ, ㅊ] +첫소리 ㅣ, 반모음 ㅣ 예 굳이[구지], 해돋이[해도지], 닫혀[다처]

동화 원인의 위치에 따른 구분
순행 동화: 앞의 동화 원인이 뒤를 동화 시킴
역행 동화: 뒤의 동화 원인이 앞을 동화 시킴
상호 동화: 서로 동화 원인이 되어 둘다 동화됨.

단, ㅣ나 'ㅣ'로 시작되는 형식 형태소여야 한다.

대표 亦功 기출

발음 과정에 나타난 음운 변동 규칙을 바르게 짝지은 것은? 2015 소방직 복원

㉠ 신라[실라] ㉡ 해돋이[해도지]

	㉠	㉡
①	유음화	구개음화
②	구개음화	유음화
③	ㄴ 첨가	구개음화
④	ㄴ 첨가	ㄹ 탈락

㉠ 유음 'ㄹ' 앞뒤에서 'ㄴ'은 'ㄹ'로 동화된다.
㉡ 앞 음절의 끝소리 'ㄷ, ㅌ'이 형식 형태소인 모음 'ㅣ'나 반모음 'ㅣ'로 시작되는 모음(ㅑ, ㅕ, ㅛ, ㅠ) 앞에서 'ㅈ, ㅊ'으로 바뀌는 현상

정답 ①

2 축약

두 음운이 합쳐져서 제3의 음운으로 바뀌는 현상 (XABY → XCY)
∴ 음운 변동 전보다 음운의 개수가 하나 줄음.

자음 축약 = 거센소리되기 = 격음화	예사소리 ㅂ, ㄷ, ㄱ, ㅈ + ㅎ = ㅋ, ㅌ, ㅍ, ㅊ 예 각하[가카], 좋던[조턴], 법학[버팍], 쌓지[싸치]
모음 축약 = 이중 모음 되기 = 반모음화	단모음 + 단모음 = 이중 모음(반모음 + 단모음) (표기에 발음이 그대로 반영되기도 한다.) 예 이기어 → 이겨, 보아서 → 봐서, 주어서 → 줘서, 되어 → 돼, 싸이어 → 쌔어/싸여,

대표 赤功 기출

다음 중 밑줄 친 단어에 적용된 음운 변동의 성격이 나머지 셋과 다른 것은?

2015 경찰 1차

① 책상 위에 책을 <u>둬</u>.
② 너는 이번 일에 대한 반성문을 <u>써라</u>.
③ 철수가 <u>와서</u> 나는 기분이 좋았다.
④ 밖을 볼 수 없도록 구멍이 <u>막혀</u> 있었다.

나머지는 모두 축약이지만 '써라'는 '쓰-+-어라'에서 '—'가 탈락된 것으로 음운 변동의 성격이 다르다.

오답풀이 모두 모음 축약에 해당한다.
① 두어 → 둬 ③ 오+아서 → 와서 ④ 막히어 → 막혀

정답 ②

3 탈락

기존에 있던 하나의 음운이 특정 환경에서 탈락되어 발음되는 현상
(XAY → X∅Y)
∴ 음운 변동 전보다 음운의 개수가 하나 줄음.

자음군 단순화	음절의 끝에 겹받침이 올 때, 한 자음이 탈락되어 발음되는 현상			
	첫째 자음만 발음된다.			• ㄳ, ㄵ, ㄶ, ㄽ, ㄾ, ㅀ, ㅄ 예 넋[넉], 앉다[안따], 곬[골], 핥다[할따], 값[갑], 넓다[널따]
	둘째 자음만 발음된다.			• ㄻ, ㄺ, ㄿ 예 앎[암:], 닭[닥], 읊다[읍따], 긁다[극따]
	불규칙하게 탈락된다.	ㄺ	예외	맑고[말꼬], 긁게[글께] → 'ㄺ'이 용언의 어간 말음일 경우 'ㄱ' 앞에서 [ㄹ]로 발음한다.
		ㄼ	예외	밟다[밥:따], 넓둥글다[넙뚱글다], 넓죽하다[넙쭈카다], 넓적하다[넙쩌카다] → '넓다'의 경우 [널]로 발음하여야 하나, 파생어나 합성어의 경우에 '넓'으로 표기된 것은 [넙]으로 발음한다.
자음 탈락	ㄹ 탈락			용언이 활용하는 과정에서 어간 끝 음 'ㄹ'이 'ㅂ, ㅅ, ㄴ, ㄹ, 오'로 시작하는 어미와 결합할 때 탈락하는 현상 예 울+-(으)ㅂ니다 → 웁니다, 울+-(으)시는 → 우시는, 울+-는 → 우는, 울+ㄹ → 울, 울+오 → 우오
				합성, 파생되는 과정에서 어근 끝 음 'ㄹ'이 'ㅈ, ㄴ, ㄷ, ㅅ' 앞에서 탈락하는 현상 예 말+소 → 마소, 불+나비 → 부나비, 솔+나무 → 소나무, 바늘+질 → 바느질, 딸+님 → 따님
	ㅅ 탈락			어간 끝 음 'ㅅ'이 모음 어미와 결합할 때 'ㅅ'이 탈락하는 현상 예 잇+어서 → 이어서 , 붓+어서 → 부어서, 낫+아서 → 나아서
모음 탈락	동일 모음 탈락			동일 모음끼리 만나면 하나가 탈락하는 현상 예 가- + -아서 → 가서, 가- + -았다 → 갔다
	— 탈락			어간 끝 음 '—'가 모음 어미와 결합되면 탈락되는 현상 예 들르- + -어 → 들러, 우러르- + -어 → 우러러

대표 亦功 기출

다음 〈보기〉의 ㉠에 해당하지 않은 것은? 2021 경찰직 1차

보기

음운 변동의 유형으로는 교체, 탈락, 축약, 첨가가 있다. 한 단어가 발음될 때, 이러한 음운 변동 유형들 중 한 가지 유형만 나타나는 경우가 있고, ㉠ 두 가지 이상의 유형이 나타나는 경우가 있다.

① 끊어[끄너]　② 흙하고[흐카고]
③ 밤윷[밤뉻]　④ 숱하다[수타다]

4 첨가

기존에 없던 음운이 새로 첨가되어 발음되는 현상 (X∅Y → XAY)
∴ 음운의 개수가 하나 늚

사잇소리 현상 (모두 합성어)	된소리되기 (교체 X)	앞 어근의 끝 음이 울림소리(모음, ㄴ, ㄹ, ㅁ, ㅇ)이고, 뒤 어근의 첫 음이 안울림 예사소리인 경우, 뒤의 예사소리가 된소리로 발음되는 현상 예 귀+ 병 → 귓병[귀뼝/귇뼝], 자리 + 세 → 자릿세[자리쎄/자릳쎄], 전세 + 집 → 전셋집[전세찝/전섿찝], 도매 + 금 → 도매금[도매끔] 문+ 고리 → 문고리[문꼬리], 눈+ 동자 → 눈동자[눈똥자], 길+ 가 → 길가[길까], 술+잔 → 술잔[술짠], 속임+ 수 → 속임수[소김쑤]
	ㄴ 덧남	뒤에 'ㄴ, ㅁ'이 결합되는 경우에는 [ㄴ]이 덧나는 현상 예 코+ 날 → 콧날[콘날]　퇴+ 마루 → 툇마루[퇸:마루] 아래+ 니 → 아랫니[아랜니]　배+ 머리 → 뱃머리[밴머리]
	ㄴㄴ 덧남	뒤에 'ㅣ'나 반모음 'ㅣ'가 결합되는 경우에는 [ㄴㄴ]이 덧나는 현상 예 예사+ 일 → 예삿일[예산닐], 나무+ 잎 → 나뭇잎[나문닙], 뒤+ 윷 → 뒷윷[뒨:뉻], 깨+ 잎 → 깻잎[깬닙], 도리깨+ 열 → 도리깻열[도리깬녈]
'ㄴ' 첨가 (합성어, 파생어)		앞말이 받침으로 끝나고 뒷말이 '이, 야, 여, 요, 유'로 시작하는 경우에는 뒷말의 초성 자리에 'ㄴ' 소리가 첨가되는 현상 예 꽃 + 잎 → [꼰닙], 식용+유 → [시공뉴], 솜+이불 → [솜:니불], 한- + 여름 → [한녀름], 홑+이불 → [혼니불], 설+익다 → [설릭따]
반모음 첨가 = 'ㅣ' 모음 순행 동화		앞의 'ㅣ'모음에 의해 반모음 'ㅣ'가 첨가되는 현상 예 되어 → [되어/되여], 피어 → [피어/피여], 이오 → [이오/이요], 아니오 → [아니오/아니요]

사잇소리 현상과 'ㄴ' 첨가는 모두 수의적인 현상이다.

'끊어'는 용언의 어간 말음 'ㅎ'이 모음 어미 앞에서 탈락하는 'ㅎ' 탈락만 일어나 [끄너]로 발음되므로 한 가지 유형(탈락)만 나타난다.

오답풀이 ② 흙하고[흐카고]: 자음군 단순화 후 자음 축약(각각 탈락과 축약의 두 가지 유형이 나타남.)
③ 밤윷[밤:뉻]: ㄴ첨가와 음절의 끝소리 규칙(각각 첨가와 교체의 두 가지 유형이 나타남.) (+'밤윷'은 길게 발음되는 것이 맞지만 출제에는 반영하지 않은 것으로 보인다.)
④ 숱하다[수타다]: 음절의 끝소리 규칙 후 자음 축약(각각 교체와 축약의 두 가지 유형이 나타남.)

정답 ①

동일한 음운 변동 현상을 보여 주는 예들로 묶인 것은? 2014 국가직 7급

① 늙는, 않고
② 맏형, 쇠붙이
③ 산동네, 보름달
④ 생일날, 추진력

[산동네 → (사잇소리 현상) → 산똥네], [보름달 → (사잇소리 현상) → 보름딸]: 사잇소리 현상은 '어근+어근'의 합성어이면서 앞의 어근의 끝소리가 울림소리이고 뒤의 어근의 첫소리 예사소리일 때 일어난다. '산'과 '동네' / '보름'과 '달'은 이 조건에 부합하므로 뒤의 소리가 된소리로 소리 나는 사잇소리 현상이 일어난다. 주의해야 할 점은 사잇소리 현상은 '첨가'라는 점에서 '교체'의 된소리되기와는 다르다는 점이다.

오답풀이 ① [늙는 → (자음군 단순화) → 늑는 → (비음화) → 능는], [않고 → (자음 축약) → 안코]: 동일한 음운 변동 현상이 아니다.
② [맏형 → (자음 축약) → 마텽], [쇠붙이 → (구개음화) → 쇠부치]
④ [생일날 → (유음화) → 생일랄], [추진력 → (비음화) → 추진녁]: '추진력(推進力)'의 경우에는 유음화의 환경이라고 착각할 수 있으나 3글자 한자어이면서 '2+1'의 구성을 보이는 경우에는 유음화가 아니라 비음화가 일어난다. 이외의 예로는 '횡단로[횡단노], 공권력[공꿘녁], 이원론[이원논], 구근류[구근뉴]' 등이 있다.

정답 ③

MEMO

시작!

박혜선 국어

CHAPTER 01 형태소와 단어

CHAPTER 02 품사의 이해와 체언

CHAPTER 03 용언

CHAPTER 04 관계언/수식언/독립언

PART
02
형태론

형태소와 단어

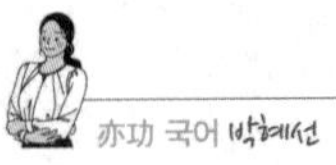

01 형태소와 단어의 이해

1 형태소의 이해

1. 형태소의 개념

(1) 의미를 지닌 말의 가장 작은 단위

> 경찰이 도둑을 잡았다.
> → 경찰/이 도둑/을 잡/았/다 (총 7개)

(2) 형태소에서 말하는 "의미"의 개념

실질적인 의미	어휘적인 의미 예 경찰, 도둑, 잡-
문법적인 의미	문법적인 기능을 하는 것을 문법적인(형식적인) 의미를 갖는다고 함. 주로 '어미, 조사, 접사'에 문법적인 의미가 있다고 함. 예 이(조사), 을(조사), -았-(어미), -다(어미)

2. 형태소의 종류

(1) 분류 기준 1 : 실질 의미의 유무

실질 형태소	실질적인 뜻을 가진 형태소 예 경찰, 도둑, 잡-
형식 형태소	문법적인 뜻을 가진 형태소 → 접사, 어미, 조사 예 이(조사), 을(조사), -았-(어미), -다(어미)

(2) 분류 기준 2 : 자립성 유무

자립 형태소	혼자 쓰일 수 있는 형태소 예 경찰, 도둑
의존 형태소	혼자 쓰일 수 없는 형태소 → 접사, 어미, 조사 / 용언의 어간 예 이(조사), 을(조사), 잡-(어간), -았-(어미), -다(어미)

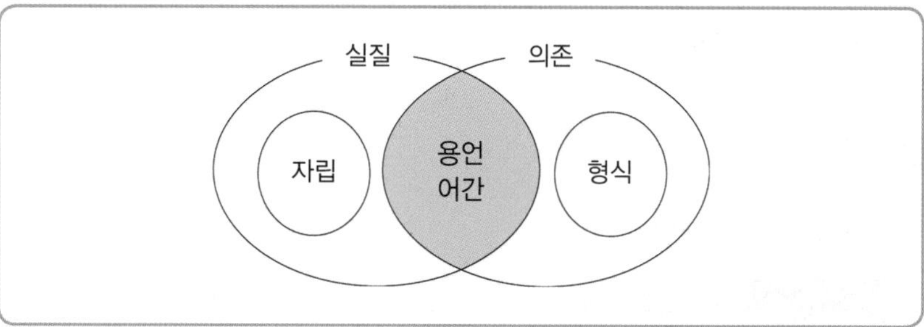

대표 亦功 기출

의존 형태소이면서 실질 형태소인 것만으로 묶인 것은? 2012. 국가직 9급

영희는 책을 집에 놓고 학교에 갔다

① 놓-, 가-
② -고, -ㅆ-
③ 영희, 책, 집
④ 는, 을, 에

2 단어의 이해

1. 단어의 개념

(1) **단어의 개념**: 자립이 가능한 말+분리가 잘되는 말(= 조사)

어절(= 띄어쓰기 덩어리)의 수+조사의 수

(2) 합성어, 파생어는 하나의 단어로 본다.

나는 짜장면과 볶음밥을 좋아한다.
단어 → 나, 는, 짜장면, 과, 볶음밥, 을, 좋아한다.
형태소 → 나, 는, 짜장, 면, 과, 볶, 음, 밥, 을, 좋-, -아, 하-, -ㄴ-, -다

역공 포인트
1. 단어 나누기
2. 단어의 개수 구하기

의존 형태소이면서 실질 형태소인 것은 용언의 어근이므로 '놓-, 가-'이다.

정답 ①

02 단어의 형성

☑ 역공 포인트

1. 단일어, 파생어, 합성어 구별하기
2. 합성어의 종류 구별하기

1 단어의 형성 요소

1. 어근과 접사의 개념

어근		모든 실질 형태소. 어근 하나로도 단어 형성이 가능함. 예 자립 형태소(우리, 책, 사랑), 용언의 어근(먹-, 잡-, 가-)
접사	접두사	주로 한정적 접사: 어근에 딱 붙어서 어근의 의미를 제한 예 풋사과, 날고기, 군살
	접미사	한정적 접사: 어근의 의미를 제한 예 낚시질, 장난꾸러기, 겁쟁이
		지배적 접사: 품사를 바꾸거나 문장 구조를 바꿈. 예 먹이, 울보, 잡히다, 울리다.

2. 용언의 어간과 어미

어간	용언이 활용할 때 변하지 않는 부분 어간 = 어근+접사
어미	용언이 활용할 때 변하는 부분

출.종.포 확인문제

짓밟혔다

① 어근 : (　　　　　)　　② 접사 : (　　　　　)
③ 어간 : (　　　　　)　　④ 기본형 : (　　　　　)

2 형성 방법에 따른 단어의 종류 개괄

한눈에 보기

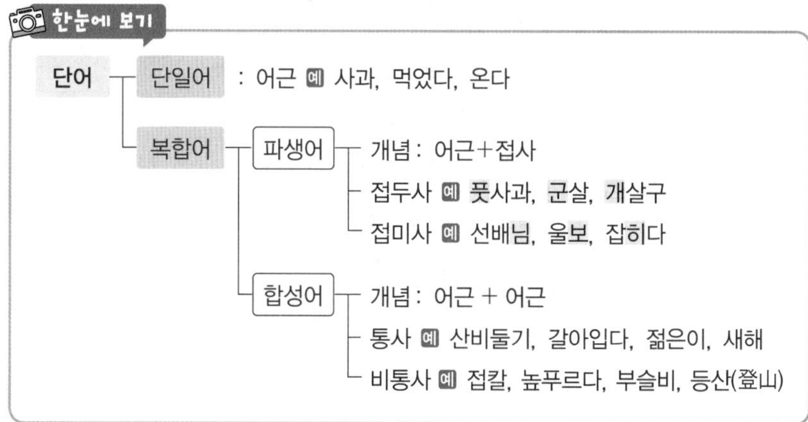

3 파생어의 형성

한눈에 보기

한정적 접미사 ─ 품사 변하지 않음 → 접두사 | 접미사

지배적 접미사 ─ 혹은 문장 구조가 변함 → 주로 접미사

1. 접두사: 주로 한정적 접미사(품사가 변하지 ×)

접두사	뜻과 예
★ 강[1]-	① 다른 것이 섞이지 않고 그것만으로 이루어진 예 강굴, 강술, 강참숯 ② 마른 또는 물기가 없는 예 강기침, 강더위, 강모 ③ 억지스러운 예 강울음, 강호령 ④ 몹시 예 강마르다, 강밭다, 강파리하다
★ 강(强)[2]-	매우 센 또는 호된 예 강염기, 강추위, 강타자, 강행군
★ 개-	① 야생 상태의 또는 질이 떨어지는, 흡사하지만 다른 예 개금, 개꿀, 개떡, 개살구, 개철쭉 ② 헛된, 쓸데없는 예 개꿈, 개나발, 개수작, 개죽음 ③ 정도가 심한 예 개망나니, 개잡놈
★ 군-	① 쓸데없는 예 군 것, 군글자, 군기침, 군말, 군살, 군침, 군불 ② 가외로 더한, 덧붙은 예 군사람, 군식구
덧-	거듭된, 겹쳐 신거나 입는 예 덧버선, 덧신, 덧저고리
★ 날-	① 말리거나 익히거나 가공하지 않은 예 날것, 날김치, 날고기, 날두부, 날기와, 날장작 ② 다른 것이 없는 예 날바늘, 날바닥, 날봉당 ③ 장례를 다 치르지 않은 예 날상가, 날상제, 날송장 ④ 지독한 예 날강도, 날건달, 날도둑놈 ⑤ 교육을 받지 않았거나 경험이 없어 어떤 일에 서투른 예 날뜨기, 날짜 ⑥ 부질없이 예 날밤, 날소일, 날장구

★ 막-	① 거친, 품질이 낮은 예 막고무신, 막과자, 막국수, 막담배, 막소주 ② 닥치는 대로 하는 예 막노동, 막말. 막일 ③ 마지막 예 막차, 막판
맨-	다른 것이 없는 예 맨눈, 맨다리, 맨땅, 맨발, 맨주먹
★ 몰(沒)[2]-	그것이 전혀 없음. 예 몰염치, 몰상식, 몰지각
★ 되-	① 도로 예 되돌아가다, 되찾다, 되팔다 ② 도리어, 반대로 예 되깔리다, 되넘겨짚다 ③ 다시 예 되살리다, 되새기다, 되씹다, 되풀다
★ 뒤-	① 몹시, 마구, 온통 예 뒤꼬다, 뒤끓다, 뒤덮다 ② 반대로, 뒤집어 예 뒤바꾸다, 뒤받다, 뒤엎다
★ 드-	심하게, 높이 예 드날리다, 드넓다, 드높다, 드세다, 드솟다
★ 들-	무리하게 힘을 들여, 마구, 몹시 예 들끓다, 들볶다, 들쑤시다
★ 들이-	몹시, 마구, 갑자기 예 들이갈기다, 들이꽂다, 들이닥치다, 들이덮치다, 들이퍼붓다
★ 새-	매우 짙고 선명하게 예 새까맣다, 새빨갛다, 새뽀얗다, 새카맣다
★ 샛-	매우 짙고 선명하게 예 샛노랗다, 샛말갛다
★ 시-	매우 짙고 선명하게 예 시꺼멓다, 시뻘겋다, 시뿌옇다, 시커멓다
★ 싯-	매우 짙고 선명하게 예 싯누렇다, 싯멀겋다
★ 짓-	마구, 함부로, 몹시 예 짓개다, 짓널다, 짓누르다, 짓밟다
★ 치-	위로 향하게, 위로 올려 예 치뜨다, 치닫다, 치받다, 치솟다
★ 헛-	보람 없이, 잘못 예 헛살다, 헛디디다, 헛보다, 헛먹다
★ 휘-	① 마구, 매우 심하게 예 휘갈기다, 휘감다, 휘날리다, 휘젓다 ② 매우 예 휘넓다, 휘둥그렇다, 휘둥글다
★ 알-	① 겉을 덮어 싼 것이나 딸린 것을 다 제거한 예 알감, 알몸, 알바늘, 알밤, 알토란 ② 작은 예 알바가지, 알요강, 알항아리 ③ 진짜; 알짜 예 알가난, 알건달, 알거지, 알부자
★ 애-	① 맨처음 예 애당초 ② 어린, 작은 예 애벌레, 애송아지, 애호박
★ 참-	① 진짜; 진실하고 올바른 예 참사랑, 참뜻 ② 품질이 우수한 예 참먹, 참젖, 참흙 ③ 먹을 수 있는 예 참꽃
★ 풋-	① 처음 나온, 덜 익은 예 풋감, 풋고추, 풋콩 ② 미숙한 깊지 않은 예 풋사랑, 풋잠
★ 한-	① 큰 예 한걱정, 한길, 한시름 ② 정확한, 한창인 예 한가운데, 한겨울, 한낮, 한밤중, 한복판, 한잠
	① 바깥 예 한데 ② 끼니때 밖 예 한동자, 한음식, 한저녁, 한점심

2. 접미사의 예

① 품사에 변화를 주지 않는 한정적 접미사

접미사	뜻과 예시
-가(家)	① 그것을 전문적으로 하는 사람, 그것을 직업으로 하는 사람 예 건축가 ② 그것에 능한 사람 예 외교가, 이론가, 전략가, 전술가 ③ 그것을 많이 가진 사람 예 자본가, 장서가 ④ 그 특성을 지닌 사람 예 대식가, 명망가, 애연가 ⑤ 가문 예 명문가, 세도가, 재상가, 케네디가
-구(口)	① 구멍, 구멍이 나 있는 장소 예 통풍구, 출입구, 분화구 ② 출입구 예 비상구, 승강구, 승차구, 하차구 ③ 창구 예 매표구, 접수구, 출납구, 투약구
★ -기(機)	그런 기능을 하는 기계 장비 예 비행기, 이앙기, 전투기, 탈곡기
-꾸러기	그것이 심하거나 많은 사람 예 장난꾸러기, 욕심꾸러기, 잠꾸러기, 말썽꾸러기
-꾼	① 어떤 일을 전문적으로 하는 사람 또는 어떤 일을 잘하는 사람 예 살림꾼, 소리꾼, 심부름꾼, 씨름꾼 ② 어떤 일을 습관적으로 하는 사람 또는 어떤 일을 즐겨 하는 사람 예 낚시꾼, 난봉꾼, 노름꾼, 말썽꾼, 잔소리꾼, 주정꾼 ③ 어떤 일 때문에 모인 사람 예 구경꾼, 일꾼, 장꾼, 제꾼 ④ 어떤 일을 하는 사람 예 과거꾼, 건달꾼, 도망꾼, 뜨내기꾼, 마름꾼, 머슴꾼, 모사꾼 ⑤ 어떤 사물이나 특성을 많이 가진 사람 예 건성꾼, 꾀꾼, 덜렁꾼, 만석꾼, 재주꾼
★ -님	① 높임 예 사장님, 총장님 ② 그 대상을 인격화하여 높임. 예 달님, 별님, 해님 ③ 그 대상을 높이고 존경의 뜻을 더함. 예 공자님, 맹자님
-둥이	그러한 성질이 있거나 그와 긴밀한 관련이 있는 사람 예 귀염둥이, 막내둥이
★ -들	복수 예 사람들, 그들, 너희들, 사건들
-뜨리다/ -트리다	강조 예 깨뜨리다, 밀어뜨리다, 부딪뜨리다 / 망가트리다, 떨어트리다
-보	그것을 특성으로 지닌 사람 예 꾀보, 싸움보, 잠보, 털보
	그것이 쌓여 모인 것 예 말보, 심술보, 울음보, 웃음보
-질	① 그 도구를 가지고 하는 일 예 가위질, 걸레질, 망치질, 부채질 ② 그 신체 부위를 이용한 어떤 행위 예 곁눈질, 손가락질, 입질, 주먹질 ③ 직업이나 직책을 비하 예 선생질, 순사질, 목수질, 회장질 ④ 주로 좋지 않은 행위를 비하 예 계집질, 노름질, 서방질, 싸움질 ⑤ 그것을 가지고 하는 일, 그것과 관계된 일 예 물질, 불질, 풀질, 흙질 ⑥ 그런 소리를 내는 행위 예 딸꾹질, 뚝딱질, 수군덕질
-치	강조 예 넘치다, 밀치다, 부딪치다, 솟구치다
	물건 예 날림치, 당년치, 중간치, 버림치
	값 예 기대치, 최고치, 평균치, 한계치

② 품사나 문장 구조를 바꾸는 지배적 접미사

㉠ 품사를 바꾸는 지배적 접미사

종류	접미사	예시
★ 명사화 접미사	-음/-ㅁ	믿음, 죽음, 웃음, 걸음, 꿈, 삶, 앎, 잠, 춤, 기쁨, 슬픔
	-이	길이, 먹이, 길잡이, 목걸이, 멍청이, 똑똑이, 딸랑이
	-기	크기, 사재기, 굵기, 달리기, 모내기
★ 동사화 접미사	-하다	공부하다, 생각하다, 밥하다, 사랑하다, 빨래하다
	-이다	끄덕이다, 망설이다, 반짝이다, 속삭이다, 움직이다, 출렁이다
★ 형용사화 접미사	-하다	건강하다, 진실하다, 행복하다
	-지다	기름지다, 값지다, 세모지다, 멋지다
	-답다	꽃답다, 정답다, 참답다
	-롭다	명예롭다, 신비롭다, 자유롭다, 풍요롭다, 향기롭다
	-스럽다	복스럽다, 걱정스럽다, 자랑스럽다
부사화 접미사	-이/-히	많이, 집집이, 나날이 / 조용히, 무사히, 나란히
	-오/-우	비로소(비롯+오), 도로(돌+오) / 너무(넘+우), 마주(맞+우)

㉡ 문장의 구조를 바꾸는 지배적 접미사: 사동 접미사와 피동 접미사

접미사	뜻과 예시
-이-	① 사동 예 보이다, 녹이다 ② 피동 예 깎이다, 놓이다 ③ 사동의 뜻을 더하고 동사를 만듦. 예 높이다, 깊이다
-히-	① 사동 예 묵히다, 굳히다 ② 피동 예 막히다, 닫히다 ③ 사동의 뜻을 더하고 동사를 만듦. 예 괴롭히다, 붉히다, 넓히다
-리-	① 사동 예 날리다, 울리다 ② 피동 예 갈리다, 팔리다
-기-	① 사동 예 신기다, 남기다 ② 피동 예 안기다, 뜯기다
-우-	사동 예 깨우다, 비우다
-구-	사동 예 달구다, 솟구다
-추-	사동 예 낮추다, 늦추다

대표 亦功 기출

01 다음 중 단어 형성 방법이 나머지와 다른 것은? 2018. 교육행정직 7급

① 가위질　　② 달리기
③ 멋쟁이　　④ 책가방

02 단어에 대한 설명으로 옳지 않은 것은? 2017. 국가직 9급 생활 안전 분야

① ‘웃음’은 어근 ‘웃-’에 접미사 ‘-음’이 붙어 명사가 된 파생어이다.
② ‘곁눈질’은 합성어 ‘곁눈’에 접미사 ‘-질’이 결합된 파생어이다.
③ ‘회덮밥’은 파생어 ‘덮밥’에 새로운 어근 ‘회’가 결합된 합성어이다.
④ ‘바다’, ‘맑다’는 어근이 하나인 단일어이다.

4 합성어의 종류

합성어란 어근과 어근, 혹은 단어와 어근이 결합하여 형성된 단어이다.

1. 분류 기준 ①: 우리말의 일반적인 단어 배열법

비통사적 합성어	개념	우리말의 일반적인 단어 배열법과 일치하지 않는 합성어	
	예시	관형사형 어미 생략	접칼, 덮밥, 곶감, 감발, 누비옷, 꺾쇠, 검버섯
		연결 어미 생략	짙푸르다, 날뛰다, 우짖다, 여닫다, 뛰놀다, 오르내리다, 굳세다, 굶주리다, 돌보다
		부사+명사	살짝곰보, 딱딱새, 보슬비, 산들바람, 척척박사, 헐떡고개, 볼록거울, 흔들바위
		어순이 다른 한자어	독서(讀書), 등산(登山), 급수(汲水), 귀향(織鄕) (일몰(日沒), 필승(必勝), 고서(古書)는 통사적 합성어)
통사적 합성어	개념	우리말의 일반적인 단어 배열법과 일치하는 합성어 통사적 구성과 일치하는 합성어	
	예시	명사+명사	앞뒤, 돌다리, 춘추, 논밭, 할미꽃, 이슬비
		부사+부사	곧잘, 더욱더, 이리저리, 엎치락뒤치락, 죄다
		관형사+체언	새해, 온갖, 첫사랑, 뭇매
		부사+용언	가로지르다, 그만두다, 잘나다, 못나다, 다시없다, 몹쓸(못+‘쓰다’의 관형사형)
		조사 생략	빛(이)나다, 힘(이)들다, 값(이)싸다, 맛(이)있다, 재미(가)없다, 본(을)받다, 선(을)보다, 애(를)쓰다, 꿈(과)같다, 앞(에)서다
		연결 어미	돌아가다, 게을러빠지다, 가져오다, 갈아입다, 찾아오다, 찾아보다. 들어가다, 알아보다, 뛰어가다
		관형사형 어미	작은언니, 지은이, 어린이, 군밤, 큰집, 작은집, 이른바, 쓸데없다(쓰+ㄹ+데+없+다), 보잘것없다(보+자+고+하+ㄹ+것+없+다)

01
나머지는 어근과 접사가 결합된 파생어이지만, '책가방'은 어근 '책'과 어근 '가방'이 결합된 합성어이다.

오답풀이 ① 가위(어근)+질(접사)=파생어
② 달리(어근)+기(접사)=파생어
③ 멋(어근)+쟁이(접사)=파생어

정답 ④

02
'덮밥'은 관형사형 어미 '은'이 생략된, 파생어가 아닌 비통사적 합성어이므로 옳지 않다.

오답풀이 ① '웃음': 어근 '웃-'+접미사 '-음'=파생어
② '곁눈질': 합성어 '곁눈'+접미사 '-질'=파생어
④ '바다', '맑다'는 어근이 하나인 단일어이다. 여기에서 '맑다'의 '-다'는 접사가 아니라 어미이므로 단어 형성과는 관련이 없으므로 '맑다'는 단일어이다.

정답 ③

대표 赤功 기출

다음 예들과 동일한 구성 방식을 보이는 단어로 옳은 것은? 2015. 국회직 9급

굶주리다, 늦더위, 높푸르다, 덮밥

① 논밭
② 첫사랑
③ 늙은이
④ 가로지르다
⑤ 곶감

'굶주리다, 늦더위, 높푸르다, 덮밥'은 비통사적 합성어이다. 각각 연결 어미 '-고' 생략, 관형사형 어미 '-은' 생략, 연결 어미 '-고' 생략, 관형사형 어미 '-은' 생략이 보인다. 이와 동일한 구성 방식을 보이는 단어는 '곶감'이다. '곶감'에는 관형사형 어미 '-은' 생략이 보인다.

오답풀이 ① 논밭: '논과 밭'의 '명사+명사' 구성을 보이는 것은 통사적 합성어이다.

② 첫사랑: '관형사+명사' 구성을 보이는 것은 통사적 합성어이다.

③ 늙은이: 관형사형 어미 '-은'이 생략되지 않은 통사적 합성어이다.

④ 가로지르다: '부사+용언' 구성을 보이는 것은 통사적 합성어이다.

정답 ⑤

MEMO

품사의 이해와 체언

赤功 국어 박혜선

☑ 역공 포인트

1. 각 단어의 품사 파악하기
2. 품사 통용 완벽하게 익히기

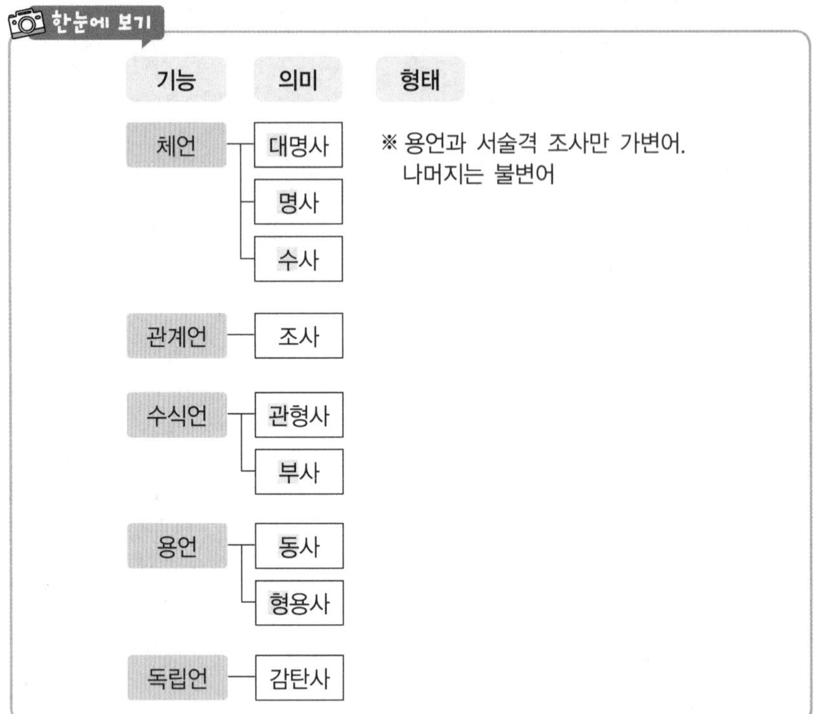

01 품사의 이해

1 품사의 본질

1. 품사의 개념

일정한 기준(공통된 성질의 단어)에 따라 나눈 단어의 갈래

02 체언 : 명사, 대명사, 수사

체언(體言)은 문장에서 주로 주어, 목적어, 보어 등의 역할을 하는데, 이 외에도 조사와 결합하여 다양한 성분이 될 수 있다. 명사, 대명사, 수사가 이에 속하며, 관형어의 꾸밈을 받고 형태가 변하지 않는 것이 특징이다.

☑ 역공 포인트
1. 대명사의 종류 파악하기
2. 수사와 관형사 구별하기

1 명사(名詞) : 사물의 이름을 나타내는 품사

1. 특징

① 형태가 변하지 않는 불변어 ② 관형어의 꾸밈 ③ 조사와 결합

2. 종류

(1) **분류 기준**: 자립성 유무

자립 명사	다른 말에 의존하지 않고 혼자 쓰일 수 있는 명사 예 책의 주제는 사랑이다.		
의존 명사	개념	다른 말에 의존해야만 말이 되는 명사	
	종류	보편성	모든 성분으로 두루 쓰이며, 관형어와 조사의 결합에 큰 제약이 없다. 예 것, 분, 바, 데
		주어성	주로 주어로 쓰이며, 주로 주격 조사와 결합한다. 예 너를 사랑할 수(가) 없다. 이곳에 온 지(가) 열흘이 되었다. 더할 나위(가) 없다. 그가 나를 사랑할 리(가) 없다.
		서술성	서술어로만 쓰이며, 서술격 조사 '-이다'와 결합한다. 예 따름(이다), 뿐(이다), 터(이다), 때문(이다) 등
		부사성	부사어로 쓰이며, 부사격 조사와 결합한다. 예 그는 천재인 줄로 안다. 쌍둥이인 듯이 닮았다.
		★단위성	수 관형사 다음에 쓰이며, 선행하는 명사의 수량 단위를 나타낸다. 예 사과 네 개, 만 원, 사람 세 명, 신발 두 켤레

2 대명사(代名詞) : 대상의 이름을 대신하여 가리키는 말

1. 특징

① 형태가 변하지 않는 불변어 ② 관형어의 꾸밈 ③ 조사와 결합

2. 종류

<table>
<tr><td rowspan="6">인칭 대명사</td><td>1인칭</td><td colspan="3">화자를 대신 가리킴. 예 나, 저 / 우리, 저희 / 짐, 소인</td></tr>
<tr><td>2인칭</td><td colspan="3">청자를 대신 가리킴. 예 너, 자네, 그대, 당신, 너희, 여러분</td></tr>
<tr><td rowspan="4">3인칭</td><td>개념</td><td colspan="2">제3자를 대신 가리킴. 예 그, 그녀, 그들, 이분(이이)</td></tr>
<tr><td rowspan="3">종류</td><td>미지칭 대명사</td><td>특정 대상을 지시하지만 누군지 모름.
예 너는 누구를 좋아하니? 혜선이요.
너는 어디로 갈 거야? 박문각 역공국어로 갈 거야.</td></tr>
<tr><td>부정칭 대명사</td><td>특정 대상을 지시하지 않음. 아무나 지시 가능함.
예 누구든 나를 도와줘.
아무도 좋아하지 않아.
어디라도 나는 좋아.</td></tr>
<tr><td>재귀칭 대명사</td><td>저, 자기, 저희, 당신(높임의 의미)
이미 나온 "3인칭" 주어를 한번 더 가리킬 때 씀.
예 고슴도치도 저(자기)의 새끼는 이뻐한다.
그들은 저희의 잘못인지도 모른다.
할머니는 당신의 인생을 회고하였다.</td></tr>
<tr><td rowspan="3">지시 대명사</td><td>사물</td><td colspan="3">이것, 그것, 저것 / 무엇</td></tr>
<tr><td>처소</td><td colspan="3">여기, 거기, 저기, 이곳, 그곳, 저곳 / 어디</td></tr>
<tr><td>시간</td><td colspan="3">언제</td></tr>
</table>

출·좋·표 상황에 따라 달리 쓰이는 대명사

<table>
<tr><td>우리</td><td colspan="2">① 화자 자신과 청자, 또는 화자 자신과 청자와 여러 사람을 가리키는 1인칭 대명사
② 청자를 제외한 1·3인칭만 포함 예 우리 오늘 파티할 건데 너도 올래?
③ 화자 자신만 지칭하면서 어떤 대상이 자기와 친밀한 관계임을 나타낼 때 쓰는 말
예 우리 남편이 잘생겼지 뭐야~</td></tr>
<tr><td rowspan="2">당신</td><td>2인칭</td><td>청자를 단순히 가리키는 경우 예 그날 범인이 당신입니까?
청자를 높이는 경우 예 당신의 꿈이 그립습니다.
청자를 낮추는 경우 예 뭘 째려봐 당신!!!</td></tr>
<tr><td>3인칭</td><td>3인칭 재귀 대명사 (재귀칭 '저(자기)'의 높임)
예 할아버지는 당신의 꿈을 이루고 갔다.</td></tr>
<tr><td rowspan="2">저희</td><td>1인칭</td><td>'우리'의 낮춤말 예 저희의 책임입니다.</td></tr>
<tr><td>3인칭</td><td>3인칭 재귀 대명사 (재귀칭 '저'의 복수형)
예 고슴도치들도 저희 새끼는 이뻐한다.</td></tr>
</table>

출·좋·표 **지시 대명사의 담화론적 성격 : 지시 관형사, 지시 부사도 마찬가지임**

이것 여기 이리 이	1. 말하는 이에게 가까이 있거나 말하는 이가 생각하고 있는 사물을 가리킴. 예 철수야 이것이 내가 저번에 말한 옷이야. 철수야 이리 와 봐. 이 옷의 색깔이 예쁘지? 2. 바로 앞에서 이야기한 대상을 가리키는 지시 대명사 예 오늘 내가 고백한 거... 이것을 잘 기억해 줬으면 해.
그것 거기 그리 그	1. 듣는 이에게 가까이 있거나 듣는 이가 생각하고 있는 사물을 가리키는 지시 대명사 예 네 옆에 있는 그것이 무엇이냐? 그것은 거기다 내려놓고 빈손으로 이리 오게. 응. 그리로 가렴. 2. 앞에서 이미 이야기한 대상을 가리키는 지시 대명사 예 나무를 해서 팔아 봤자 나무 한 짐에 쌀 두 되 값 받기가 어려우니, 그것 가지고는 다섯 식구 입에 풀칠하기조차 힘들었다.
저것 저리 저	1. 말하는 이나 듣는 이로부터 멀리 있는 사물을 가리키는 지시 대명사 예 저것을 좀 보십시오.

대표 亦功 기출

01 ㉠~㉢에 대한 설명으로 적절하지 않은 것은? 2017. 지방직 9급 추가

- 형님은 ㉠ 자기 자신을 애국자라고 생각했다.
- 형님은 ㉡ 당신 스스로 애국자라고 생각했다.
- 형님은 ㉢ 그의 선물을 나에게 주었다.

① ㉠과 ㉡은 모두 형님을 가리킨다.
② ㉠은 1인칭이고 ㉡은 2인칭이다.
③ ㉡은 ㉠보다 높임 표현이다.
④ ㉢은 ㉠과 달리 형님 이외의 다른 대상을 가리킬 수 있다.

02 문장의 밑줄 친 부분 중 품사가 다른 것은? 2018. 서울시 9급

① 어머니는 당신께서 기른 채소를 종종 드셨어.
② 벌써 거기까지 갔을 리가 없지 않니?
③ 우리가 다니는 학교는 참 시설이 좋아.
④ 대영아, 조기 한 두름만 사오너라.

01
㉠과 ㉡은 모두 이미 나온 3인칭 주어를 한번 더 가리킬 때 쓰는 재귀칭 대명사이다. 재귀칭 대명사는 3인칭 대명사이다.

정답 ②

02
①의 '당신'은 3인칭 재귀 대명사이다.

오답풀이 ② '갔을'의 수식을 받는 의존 명사이다.
③ '학교'는 자립 명사이다.
④ '두름'은 단위성 명사이다.

정답 ②

3 수사(數詞) : 사물의 수량이나 순서를 가리키는 단어

1. 특징

① 형태가 변하지 않는 불변어 ② 관형어의 꾸밈 × ③ 조사와 결합
'하루, 이틀, 사흘'과 같은 날짜를 나타내는 말이나, '8.15, 3.1절'과 같은 특정 기념일을 나타내는 말, '처음, 갑절, 끝'과 같이 순서를 나타내는 말 등은 수사가 아니라 명사이다.

2. 종류

양수사(量數詞)	개념	사물의 수량을 가리킴.
	예	일, 이, 삼, 사 / 하나, 둘, 셋, 넷
서수사(序數詞)	개념	사물의 순서를 가리킴.
	예	첫째, 둘째, 셋째 / 제일, 제이, 제삼

밑줄 친 부분의 품사가 다른 하나는? 2016. 서울시 9급

① 그 가방에 소설책 <u>한</u> 권이 들어 있었다.
② 넓은 들판에는 농부가 <u>한둘</u> 눈에 띌 뿐 한적했다.
③ <u>두</u> 사람은 다투다가 화해했다.
④ 석류가 <u>두세</u> 개 굴러 나왔다.

수사는 체언이라서 조사와 결합이 가능하다. 하지만 관형사는 조사와 결합할 수 없다. '한둘'은 "한둘(이) 눈에 띌 뿐"처럼 조사가 결합할 수 있는 수사이다.

오답풀이 ① '한'은 '권'을 수식하는 관형사이다.
③ '두'는 '사람'을 수식하는 관형사이다.
④ '두세'는 '개'를 수식하는 관형사이다.

정답 ②

MEMO

용언

赤功 국어 박혜선

☑ 역공 포인트

1. 동사와 형용사를 구별하기
2. 동사와 형용사의 활용 양상 구별하기
3. 보조 용언의 품사 구별하기

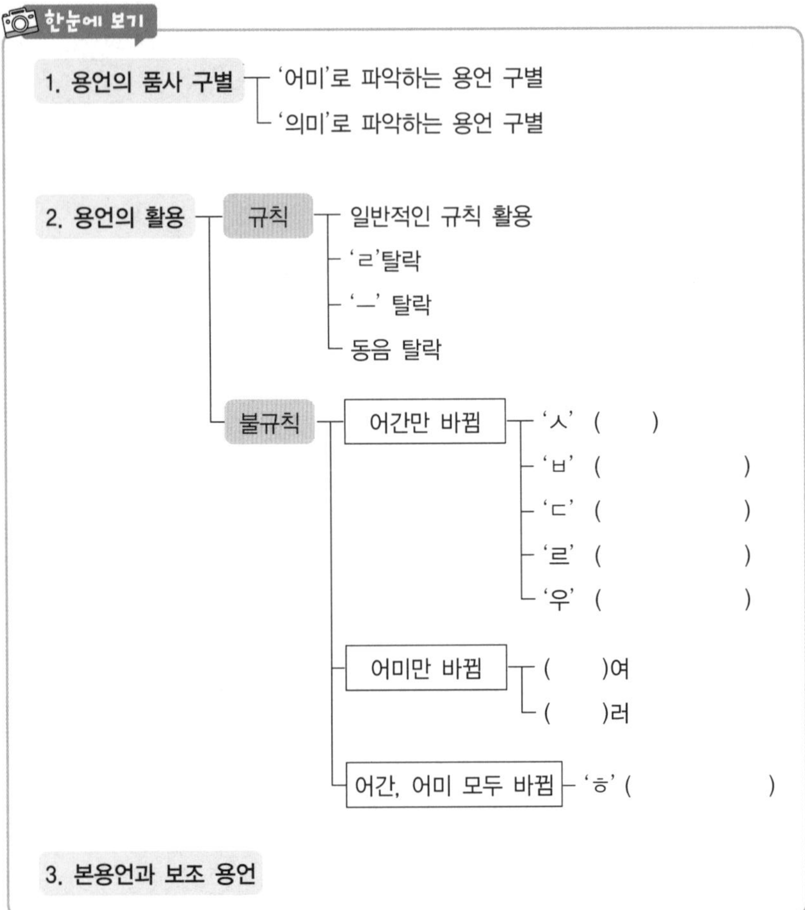

01 용언(用言) : 동사, 형용사

용언(用言)은 동사, 형용사를 통틀어 이르는 말로, 용언은 어간과 어미로 결합되어 있는 말이다.
문장에서 서술어의 기능을 하며 쓰임에 따라 본용언과 보조 용언으로 나뉜다.
→ 형태가 변하는 가변어 / 부사어의 꾸밈 / 조사와 결합

1 동사(動詞) : 사물의 동작이나 작용을 나타내는 품사

자동사	목적어가 없는 동사 예 가다, 놀다, 살다, 달리다, 잡히다, 날다, 예상되다
타동사	목적어가 있는 동사 예 먹다, 잡다, 누르다, 태우다, 키우다, 안다

2 형용사(形容詞) : 사물의 성질이나 상태를 나타내는 품사

성상 형용사	사물의 성질이나 상태를 나타내는 형용사 예 고요하다, 달다, 예쁘다, 향기롭다
지시 형용사	사물의 성질, 시간, 수량 따위가 어떠하다는 것을 형식적으로 나타내는 형용사 예 이러하다, 그러하다, 저러하다, 어떠하다, 아무러하다

출·좋·표 동사와 형용사의 구별

기준	동사	형용사
현재 시제 선어말 어미 '-는-(받침 뒤)/-ㄴ-'(모음 뒤)	(○) 빵을 먹는다. 집에 간다.	(×) * 손이 참 곱는다. * 하늘이 참 푸른다.
관형사형 어미 '-는'	(○) 빵을 먹는 여자	(×) * 푸르는 하늘
명령형, 청유형 어미	(○) 빵을 먹어라. 빵을 먹자.	(×) * 너는 착해라. 너는 착하자.
목적, 의도의 어미 '-러, -려'	(○) 학교에 공부하러 간다. 학교에 공부하려고 간다.	(×) * 착하러 간다. 지금 착하려 한다.
'-고 있다'	(○) 신발을 신고 있다.	(×) * 너는 착하고 있다.

출·좋·포 동사

❶ 곱게 늙는다. / 집이 차차 낡는다.

▶ '늙다, 낡다'는 동사이므로 현재 시제 선어말 어미 '-는-'과 결합할 수 있다.

❷ 너 그러다가 맞는다. / 맞는 답을 고르시오.

▶ '맞다'는 동사이므로 현재 시제 선어말 어미 '-는-'과 결합할 수 있다. 또한 현재 관형사형 어미 '-는'과도 결합이 가능하다.

❸ 자꾸 답을 틀린다. / 틀리는 문제가 많니?

▶ '틀리다'는 동사이므로 현재 시제 선어말 어미 '-ㄴ-'과 결합할 수 있다. 또한 현재 관형사형 어미 '-는'과도 결합이 가능하다.

❹ 언니는 갈수록 예뻐졌다. / 괜히 슬퍼져서 눈물이 났다.

▶ '예뻐지다, 슬퍼지다'는 동사이다. '예뻐하다, 슬퍼하다'는 동사이다.

출·좋·포 형용사

❶ 알맞은 답을 고르시오. 걸맞은 사람이 될게.

▶ '알맞다, 걸맞다'는 형용사이므로 관형사형 어미 '-는'과 결합할 수 없다.

❷ 건강하세요!(×) / 행복해라.(×) 행복하자.(×) / 성실해라.(×) / 다르자.(×)

▶ '건강하다, 행복하다, 다르다, 성실하다'는 형용사이므로 명령형, 청유형으로 쓰일 수 없다.
따라서 각각 '건강하게 사세요! / 행복하게 살아라, 행복하게 살자. / 성실하게 행동해라. / 다르게 행동해라.'로 고쳐야 한다.

❸ '없다, 많다'는 형용사이다.

출·좋·포 시험에 무조건 나오는 "동사와 형용사의 품사 통용 ①"

크다	동사	자라다, 성장하다 예 그 나무는 벌써 컸다, 한창 크는 분야라서 지원이 많다.
	형용사	'자라다, 성장하다' 이외의 의미 예 키가 크다, 우리 마을에서 큰 인물이 났구나.
밝다	동사	밤이 지나고 환해지며 새날이 오다. 예 벌써 새벽이 밝아 온다.
	형용사	'새날이 오다' 이외의 의미 예 초저녁부터 달이 휘영청 밝았다. 벽지가 밝아서 집 안이 아주 환해 보인다. 인사성과 예의가 밝다, 밝은 목소리, 전망이 밝다
이르다 (동음이의어)	동사	① 어떤 장소나 시간에 닿다. 예 목적지에 이르다. ② 어떤 정도나 범위에 미치다. 예 결론에 이르다.
		말하다 예 위험한 데서 놀지 말라고 일렀다.
	형용사	대중이나 기준을 잡은 때보다 앞서거나 빠르다. 예 아직 포기하기엔 이르다.

출·좋·표 시험에 무조건 나오는 "동사와 형용사의 품사 통용 ②"

고르다 (동음이의어)	동사	① 쓸 것이나 좋은 것을 가려내다. 예 며느릿감을 골랐다, 품질 좋은 과일로 고르고 골랐다. ② 울퉁불퉁한 것을 평평하게 하거나 들쭉날쭉한 것을 가지런하게 하다. 예 땅을 고르다. ③ 붓이나 악기의 줄, 숨 따위를 다듬거나 손질하다. 예 그는 가쁘게 몰아쉬던 숨을 고르고 있다.
	형용사	① 여럿이 다 높낮이, 크기, 양 따위의 차이가 없이 한결같다. 예 이익을 고르게 분배하다, 치아가 고르다. ② 상태가 정상적으로 순조롭다. 예 음정이 고르다.
굳다	동사	① 무른 물질이 단단하게 되다.('녹다'의 반대말) 예 기름이 굳다. 시멘트가 굳다. ② 근육이나 뼈마디가 뻣뻣하게 되다. 예 혀가 굳어 말이 잘 나오지 않는다. ③ 표정이나 태도 따위가 부드럽지 못하고 딱딱하여지다. 예 꾸지람을 듣자 그의 얼굴은 곧 굳었다. ④ 몸에 배어 버릇이 되다. 예 한번 말버릇이 굳어 버리면 여간해서 고치기 어렵다.
	형용사	① 누르는 자국이 나지 아니할 만큼 단단하다. 예 굳은 땅과 진 땅. ② 흔들리거나 바뀌지 아니할 만큼 힘이나 뜻이 강하다. 예 철석같이 굳은 결심. ③ 재물을 아끼고 지키는 성질이 있다. 예 그는 사람됨이 굳고 인색해서 남에게 함부로 돈을 빌려주는 법이 없다.

대표 亦功 기출

밑줄 친 단어의 품사가 나머지 셋과 다른 것은? 2017. 국가직 7급 생활 안전 분야

① 노장은 결코 늙지 않는다는 말이 있다.
② 노인들은 꽃나무를 잘들 키우신다.
③ 곧 날이 밝으면 출발할 수 있다.
④ 노력했지만 아직 부족함이 많다.

나머지는 '동사'이지만 '많다'는 형용사이다. '많다'는 언제나 형용사이다.

오답풀이 ① '늙다'는 언제나 동사이다.
② '키우신다.'에서 현재 시제 선어말 어미 '-ㄴ'이 있으므로 기본형 '키우다'는 동사이다.
③ 여기에서 '밝다'는 '날이 밝아 오다'의 의미이므로 동사이다.

정답 ④

02 용언(用言)의 활용

1 활용(活用) : 용언의 어간에 여러 어미가 번갈아 결합하는 현상

1. 용언의 어간 : 활용할 때 변하지 않는 부분

2. 용언의 어미 : 활용할 때 변하는 부분

(1) 어미의 종류

① 선어말 어미(先語末語尾) : 어말 어미 앞에 나타나는 어미

종류	내용		예
시제 선어말 어미	현재	–는–/–ㄴ–	먹는다, 간다
	과거	–았–/–었–	먹었다, 갔다
	미래(추측)	–겠–, –리–	먹겠다, 가리다
	과거(회상)	–더–	먹더라, 가더라
높임 선어말 어미	주체 높임 : –(으)시–		가시고, 가신다
공손 선어말 어미	–옵–, –오–		가시옵고, 가오리다

현재시제 선어말 어미
–는–(받침 뒤)
–ㄴ–(모음 뒤)

과거형 어미
–았–(양성 모음 뒤)
–었–(음성 모음 뒤)

② 어말 어미(語末語尾) : 용언의 맨 뒤에 결합하는 어미

종류	내용		예
종결 어미	평서형	–다, –네, –오, –ㅂ니다, –습니다	역공녀가 갔습니다.
	감탄형	–는구나, –는가, –오, –나	눈이 오는구나.
	의문형	–느냐, –는가, –오(소), –(으)ㅂ니까, –나	어디 가느냐?
	명령형	–어라, –게, –(으)오, –(으)십시오	어서 먹게.
	청유형	–자, –세, –(으)ㅂ시다	어서 가세.
연결 어미	대등적	–고(–며) –으나(–지만) –거나(–든지)	꽃이 피고 새가 운다.
	종속적	–으면, –아서/어서, –려고	비가 오면 땅이 질다.
	보조적	–아/–어, –게, –지, –고	의자에 앉아 있다.
전성 어미	명사형	–(으)ㅁ, –기	행복하게 삶. 밥을 먹기 싫다.
	관형사형	–(으)ㄴ, –는, –(으)ㄹ, –던	가는 세월, 먹을 사람
	부사형	–이, –게, –(아)서	빠르게 가다.

MEMO

관계언/수식언/독립언

赤功 국어 박혜선

☑ 역공 포인트

1. 주격 '에서'와 부사격 '에서' 구별하기
2. 조사의 종류와 각각의 쓰임을 파악하기
3. 의존 명사와 혼동하기 쉬운 조사 구별해 내기

한눈에 보기

격 조사	개념	앞말에 자격을 부여해 주는 조사
	예	주격(이/가, 께서, 에서, 서) 목적격(을/를), 보격(이, 가), 서술격(이다) 관형격(의), 부사격(에, 에서, 에게, 으로), 호격(아/야)
접속 조사	개념	체언과 체언을 연결하는 조사
	예	와/과, 랑, 하고
보조사	개념	앞말에 특별한 의미를 더해 주는 조사
	예	은/는, 도, 만, 부터, 까지

01 관계언(關係言) : 조사(助詞)

품사에서 관계언은 조사를 이르는 말로, 문장에 쓰인 단어들의 관계를 나타내는 기능을 한다. 조사는 체언이나 부사, 어미에 붙어 그 말과 다른 말과의 문법적 관계를 표시하거나 그 말의 뜻을 더해 주는 품사로, 크게 격 조사, 접속 조사, 보조사로 나뉜다.

1 조사(助詞)

1. 개념

주로 체언 뒤에 붙어, 다른 말과의 문법적 관계를 나타내거나 그 말의 뜻을 더하는 품사이다.
격 조사, 접속 조사 / 보조사

2. 특징

★(1) 서술격 조사 '이다'만 형태가 변하는 가변어이다.

★(2) 주로 체언 뒤에 붙는다. (부사, 어미 따위의 뒤에 붙기도 함. 단, 관형사 뒤에는 결합이 불가능함.)

2 조사의 종류

1. 격 조사

체언에 붙어 일정한 문법적 자격(주어, 서술어, 목적어, 보어, 관형어, 부사어 등)을 가지도록 해 주는 조사를 격 조사라고 한다.

구분		내용	예
주격 조사	개념	주어의 자격을 갖게 해 줌.	• 아기가 운다. • 하늘이 푸르다. • 둘이서 영화를 본다. (인수 표시) • 선생님께서 말씀하신다. • 우리 학교에서 우승을 차지했다. (단체 표시)
	요소	이/가, 께서, 에서★, 서	
서술격 조사	개념	서술어의 자격을 갖게 해 줌. 조사에서 유일하게 활용하는 가변어임.	• 나는 공무원이다. • 항상 네가 먼저이니? • 다 너를 위해서다.
	요소	이다	
목적격 조사	개념	목적어의 자격을 갖게 해 줌.	• 윤아는 노래를 잘한다. • 그는 널 사랑해.
	요소	을/를	
보격 조사	개념	보어의 자격을 갖게 해 줌.	• 그는 의사가 아니다. • 다혜는 선생님이 되었다. (주격 조사 '이/가'와 다른 점은 뒤에 '되다, 아니다'가 온다는 것이다.)
	요소	이/가	
관형격 조사	개념	관형어의 자격을 갖게 해 줌.	• 시민의 권리 (소유-피소유의 관계) • 나의 합격 (주어-술어의 관계) • 평화의 파괴 (목적어-술어의 관계) • 납세의 의무 (대등 관계) • 김소월의 작품 (저작)
	요소	의	
부사격 조사	개념	부사어의 자격을 갖게 해 줌.	• 산에서 야영을 한다. (처소) • 가위로 색종이를 오린다. (도구) • 동아리 대표로 모임에 참석했다. (자격) • 비 오는 소리에 잠이 깼다. (원인) • 나는 너보다 키가 크다. (비교) • 아들과 함께 공원에 갔다. (동반, 함께함) • 얼음이 물로 변했다. (바뀜) • 세 시에 만나자. (때) • 요즘 교회에 가니? (지향점) • 소크라테스는 "악법도 법이다."라고 말했다. (인용)
	요소	에, 에서, 에게, 로/으로, 와 보다, 처럼, 만큼, 같이, 라고, 고	
호격 조사	개념	부를 때 쓰는 격 조사	• 진우야, 놀자. • 하늘이여, 들으소서.
	요소	아/야, 이여	

〈보기〉의 밑줄 친 표현들 중에서 주어를 구성하는 주격 조사가 아닌 것은?

2014 경찰 2차

보기

㉠ 철수는 학생이 아니다.
㉡ 정부에서 학생들에게 장학금을 주었다.
㉢ 영수가 물을 마신다.
㉣ 할아버지께서 집에 오셨다.

① ㉠의 '이'　② ㉡의 '에서'
③ ㉢의 '가'　④ ㉣의 '께서'

서술어 '되다, 아니다'의 앞에 있는 '이/가'는 보격 조사이므로 ㉠의 '이'는 보격 조사이다.

오답풀이 ② '에서'는 주격 조사이다. 단체 무정 명사(정부)에는 주격 조사 '에서'가 쓰인다. 이 자리에 주격 조사를 넣어 '정부가'로 고쳐서 읽었을 때 의미가 자연스럽다면 '에서'는 주격 조사인 것이다.
③ 주격 조사 '이/가'이다.
④ 높임의 주격 조사 '께서'이다.

정답 ①

2. 접속 조사

체언과 체언을 연결 → 와/과, 랑, 하고, 에, 이며

접속 조사	• 목련과 벚꽃이 모두 피었다. • 떡하고 빵을 제일 좋아한다. • 피자에 치킨에 음료수에 실컷 먹었다.

3. 보조사의 종류

체언에 붙어 일정한 뜻만 더해주는 격 조사

종류	내용	예
은/는	대조, 화제, 강조	음악은 좋아하지만 체육은 싫어한다.
도	동일, 첨가	미술도 좋아한다.
만/뿐	단독, 한정	체육만 빼면 된다.
까지	미침	역공녀를 합격까지 가게 해 주었다.
까지/조차	포함	너까지 밥을 다 먹었구나.
부터	출발점	여기부터 저기까지
밖에	더 없음	널 사랑할 수밖에 없다.
★ 요	청자 존대	공부 열심히 하시나요? 응원해요!!!

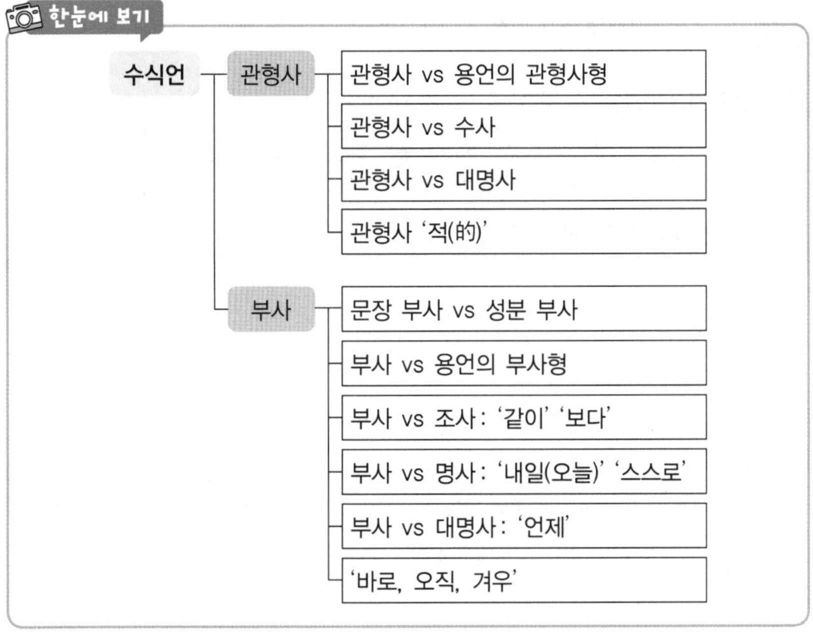

02 수식언(修飾言) : 관형사, 부사

뒤에 오는 말을 한정하는(= 꾸미는) 기능을 갖는 말

1 관형사(冠形詞) : 체언(주로 명사)을 수식

1. 특징

① 형태가 변하지 않는 불변어 ② 뒤의 명사를 꾸밈(수사는 못 꾸밈) ③ 조사와 결합 ×

2. 분류

종류	내용	예
지시 관형사	특정한 대상을 지시하여 가리키는 관형사	이 사람, 그 사람, 저 어린이
수 관형사	사물의 수나 양을 나타내는 관형사	한 사람, 세 근, 셋째 구역
성상 관형사	사람이나 사물의 모양, 상태, 성질을 나타내는 관형사. '새, 헌, 순(純)' 등	순 살코기, 새 책, 옛 모습

☑ 역공 포인트

1. 관형사와 다른 품사 구별하기
2. 부사와 다른 품사 구별하기
3. 문장 부사와 성분 부사, 성분 부사와 필수 부사 구별하기

출·좋·포 **확인문제** 지울 수 있는 샤프나 연필로 답을 쓰시오.

01 무조건 나오는 "수 관형사 vs 수사"

TIP 수 관형사: 관형사 뒤에는 조사가 붙지 못한다. 뒤의 명사를 꾸며 준다.
수사: 뒤에 조사가 붙어 있다. (조사가 생략되어 있어도 조사를 붙일 수 있다.)

1. 여섯 명이 악당 셋을 해치웠다.
( ) ( )

2. 셋째 학생이 사과 하나를 먹었다.
( ) ( )

02 무조건 나오는 "관형사 vs 대명사"

TIP 관형사: 관형사 뒤에는 조사가 붙지 못한다. 뒤의 명사를 꾸며 준다.
대명사: 뒤에 조사가 붙어 있다. (조사가 생략되어 있어도 조사를 붙일 수 있다.)

1. 이 옷은 이쁘다. 이는 시장에서 샀다.
( ) ( )

03 무조건 나오는 "관형사 vs 관형사형"

TIP 관형사: 형태가 변하지 않는 불변어이다.
용언의 관형사형: 품사가 동사, 형용사이므로 형태가 변하는 가변어이다.

1. 새 옷을 입으니 새로운 사람이 되었다.
( ) ( )

2. 다른 사람과 비교하지 말아라. 너와 나는 다른 사람이다.
( ) ( )

04 무조건 나오는 "-적(的)"

TIP 명사: 뒤에 조사가 붙는다.
관형사: 관형사 뒤에는 조사가 붙지 못한다. 뒤의 명사를 꾸며 준다.

1. 그 그림은 동양적이다. 동양적 그림.
( ) ( )

2. 감각적인 움직임이 인상적이다.
( ) ( )

정답

01
1. 수 관형사, 수사
2. 수 관형사, 수사

02
1. 관형사, 대명사

03
1. 관형사, 관형사형(형용사)
2. 관형사, 관형사형(형용사)

04
1. 명사, 관형사
2. 명사, 명사

밑줄 친 단어 중 품사가 다른 것은? 2013. 국가직 7급

① 쌍둥이도 성격이 다른 경우가 많다.
② 그 사람은 허튼 말을 하고 다닐 사람이 아니다.
③ 그는 갖은 양념을 넣어 정성껏 음식을 만들었다.
④ 사람의 그림자조차 보이지 않는 외딴 집이 나타났다.

2 부사(名詞) : 주로 용언을 꾸밈(수식언, 체언도 꾸밀 때가 있음).

1. 특징

① 형태가 변하지 않는 불변어
② 주로 용언을 꾸밈
③ 보조사와 결합 가능

2. 종류 : 수식 범위에 따라

종류		내용	예
성분 부사 (한 성분 수식)	성상 부사	'어떻게'의 의미를 지님.	매우, 아주, 잘, 자주
	지시 부사	앞에 나온 말을 지시함.	이리, 그리, 저리, 내일
	부정 부사	용언의 의미를 부정함.	안, 못
	의성 부사	사람이나 사물의 소리를 흉내 냄.	칙칙폭폭, 광광
	의태 부사	사람이나 사물의 모양이나 움직임을 흉내 냄.	펄럭펄럭, 까불까불
문장 부사 (문장 전체 수식)	양태 부사	화자의 다양한 심리적 태도를 나타냄.	설마(철수가 그 사람이니?), 과연(그것이 사실이었구나.) 제발, 정말, 모름지기, 응당, 만약 의외로, 확실히 (역공녀는 귀엽다.)
	접속 부사	단어와 단어, 문장과 문장을 이어 줌.	그리고, 그러나, 그런데, 그래서, 하지만, 및★

'다른'은 형용사이고 나머지는 모두 관형사이다. ①만 활용이 가능하여 '다른, 다르니, 다르고, 다르다'로 형태가 변한다.

정답 ①

대표 赤功 기출

밑줄 친 단어 중 품사가 다른 하나는? 2018 기상직 9급

① 글쎄, 그 일은 나도 잘 모르겠어.
② 설마 너까지 나를 의심하는 것은 아니겠지?
③ 그는 자리에서 일어났다. 그리고 창문을 열었다.
④ 오월로 접어든 산골짝의 날씨는 이제야 겨우 봄기운이 느껴진다.

'빨리'와 '빠르게'의 품사가 다른 이유

'빨리[→ 빠르(형용사 어근)+이(접미사)]'에서 '이'는 접미사이므로 아예 품사를 바꿀 수 있으므로 '빨리'는 부사이다. 하지만 '빠르게[→ 빠르(형용사 어근)+게(어미)]'에서 '게'는 어미이므로 품사를 바꿀 수 없으므로 '빠르게'는 형용사인 것이다.

무조건 뒤에 있는 말이 피수식어가 되는 것이 아니다. 반드시 의미적으로 어떤 것이 꾸밈을 받는지를 체크해야 한다.

'어디'는 부사가 아님에 유의하여야 한다.

예 어디 갈거야? → 대명사
(조사가 생략된 대명사로 본다)

예 어디! 감히 여기에 니가 와! → 감탄사

출·종·표 **부사 vs 용언의 부사형**

❶ 부사 vs 부사형

TIP 부사: 형태가 변하지 않는 불변어이다.
용언: 품사가 동사, 형용사이므로 형태가 변하는 가변어이다.

▶ 비행기가 빨리(높이) 날았다. / 비행기가 빠르게(높게) 날았다.
부사 형용사

❷ 부사 vs 명사

TIP 부사: 뒤의 용언을 꾸밈. / 명사: 뒤에 조사가 옴.

▶ 내일(오늘) 보자. 내일 시험은 잘 준비하고 있어? / 시험이 벌써 내일(오늘)이다.
부사 명사 명사

❸ 부사 vs 조사

TIP 부사: 뒤의 용언을 꾸밈. / 비교 부사격 조사 '같이'와 '보다'

▶ 같이 놀자. / 너같이 예쁜 여자는 처음이야!
부사 조사

나머지는 부사이다. 하지만 '글쎄'는 감탄사에 해당한다.

오답풀이 ② '설마'는 문장 전체를 꾸미는 부사이다.
③ '그리고'는 두 문장을 이어주는 문장 접속 부사이다.
④ '이제야'는 뒤의 용언 '느껴진다'를 수식하므로 부사이다.

정답 ①

03 독립언(修飾言) : 감탄사

문장 속의 다른 성분에 얽매이지 않고 독립성이 있는 말

1 감탄사(感歎詞) : 감동 · 응답 · 부름 · 놀람 따위의 느낌을 나타내는 품사

(1) 특징

① 형태가 변하지 않는 불변어
② 위치 자유로움
③ 조사와 결합 ×
④ 감탄사 하나로 하나의 문장을 이룰 수 있다.

(2) 분류

내용	예시
놀람, 느낌, 기분	아, 어이쿠, 어머, 에구머니나 등
화자의 의지	에라, 그렇지, 아서라, 글쎄 등
부름과 대답	여보, 여보세요, 예, 아니 등
입버릇	야, 뭐, 그, 저 등

출·좋·표

감탄사가 아닌 것들

❶ 명사(제시어)
예 인생, 아무리 알려고 해도 알 수 없는 것이구나.

❷ 명사+호격조사
예 역공녀야 수업 좀 끝내자. 배고프다.

다른 품사임에도 감탄사로 쓰이는 것들

놀람과 느낌, 대답 등을 나타낼 때는 감탄사이고, 주어를 서술하는 기능을 하며 활용할 때는 형용사이다.

▶ 어디에 가는데? 어디, 아픈 곳 좀 봅시다.
(어디에: 대명사 / 어디: 감탄사)

시작!

박혜선 국어

PART

03

통사론

문장과 문장 성분

赤功 국어 박혜선

☑ 역공 포인트

1. 각 어절의 문장 성분 파악하기
2. 각 문장 성분의 성질 파악하기

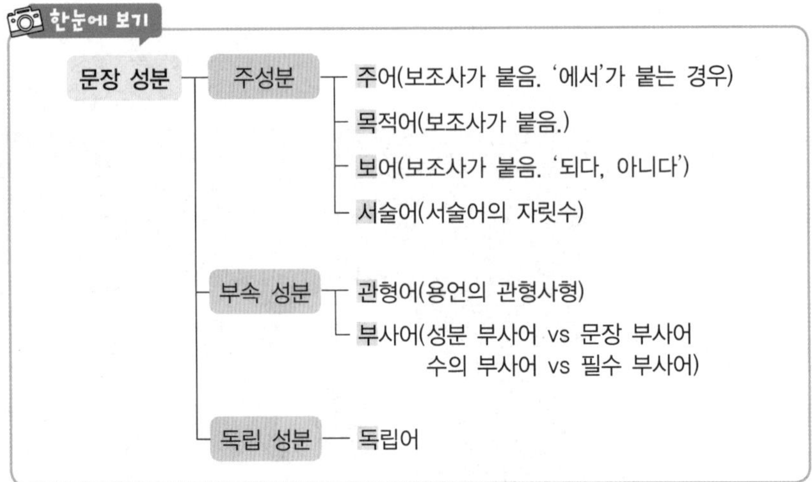

01 문장이란?

1 문장의 개념

문장이란 주어와 서술어로 이루어진 진술의 완결 단위로, 의미상 완결된 내용을 갖추고 있어야 하며 형식상 문장이 끝났음을 나타내는 문법적 표지가 있어야 한다.

2 문장 성분: 문장에서 일정한 문법적인 기능을 하는 부분. 단위는 어절

주성분	개념	문장을 이루는 주된 골격이 되는 부분(생략 힘듦)
	종류	주어, 목적어, 보어, 서술어
부속 성분	개념	주로 주성분을 수식하는 성분(생략 가능. 그러나 일부는 생략 불가)
	종류	관형어, 부사어
독립 성분	개념	다른 문장 성분과 직접적인 관련이 없음. (생략 가능)
	종류	독립어

출·좋·표 품사와 문장 성분은 아예 차원이 다르다.

품사(-사)와 문장 성분(-어)의 차이점

① 품사는 구분 기준이 '의미'이지만 문장 성분은 '역할'이다.
② 품사는 '단어('어절'로 나눈 후 '조사'를 따로 나눈 것)'로 나눈 후 품사를 판별한다.

반면 문장 성분은 '어절'로만 나눈 후 문장 성분을 판별한다.

품사	와	예쁜	영희	가	운동하는	철수	를	매우	사랑하였다.
단어 9개	감탄사	형용사	명사	주격 조사	동사	명사	목적격 조사	부사	동사

문장 성분	와	예쁜	영희가	운동하는	철수를	매우	사랑하였다.
어절 7개	독립어	관형어	주어	관형어	목적어	부사어	서술어

출·좋·표 문장을 이루는 문법 단위

어절	• 문장을 구성하는 기본 단위 • 띄어쓰기의 단위(어절을 나눈 다음 문장 성분 파악하기)	예 역공녀의 / 수업이 / 재미있다.
구	• 부속 성분+중심 성분 • 둘 이상의 어절이 모여 하나의 단어와 같은 기능을 함. • 주술 관계를 갖지 못함.	명사구 예 저 역공녀가 방긋 웃는다.
		동사구 예 저 역공녀가 방긋 웃는다.
		형용사구 예 역공녀는 실제로 매우 통통하다.
		관형사구 예 저 모든 꽃들은 다 역공녀의 것이다.
		부사구 예 역공녀는 밥을 굉장히 빨리 많이 먹는다
절	• 둘 이상의 어절이 모여 하나의 의미 단위를 이룸. • 주술 관계가 있음. • 더 큰 문장 속에 안겨서 전체 문장의 일부분으로 쓰임.	예 역공녀는 [비가 오기]를 바란다. (주어+서술어) → 명사절

02 문장 성분의 종류와 특성

1 주어(主語)

개념	동작 또는 상태나 성질의 주체가 되는 문장 성분	
표지	주격 조사(이/가, 께서, 에서*, 서)	예 역공녀가 밥을 먹는다. 할아버지께서 그 일을 할 수 있으셔. 정부에서 노인 복지의 비중을 늘렸다. 둘이서 밥을 먹었다.
	보조사	예 역공녀는 밥을 먹는다.
	생략 가능	예 너 어디 가니?

보조사만 드러나도 문장 성분은 '주어'이다.

예 국어는 쉽다.
떡볶이만 맛있다.
역공녀도 웃었다.

→ 주격 조사가 보조사에 의해 생략된 것일 뿐이므로 문장 성분은 주어이다.

2 목적어

개념	동작의 대상 (타동사의 대상)	
표지	목적격 조사 '을/를'	예 역공녀가 밥을 먹는다.
	보조사	예 역공녀는 밥만 먹는다.
	생략	예 역공녀는 밥 먹는다.

보조사만 드러나도 문장 성분은 '목적어'이다.

예 그녀는 밥만 먹었다.
그녀는 춤까지 추었다.
그녀는 노래마저 잘한다.

→ 목적격 조사가 보조사에 의해 생략된 것일 뿐이므로 문장 성분은 목적어이다.

3 보어

개념	서술어 '되다, 아니다'를 보충해 주는 성분	
표지	보격 조사 '이/가'(헷갈리지 말기)	예 철수가 아빠가 되었다.
	보조사	예 역공녀는 미인도 아니다.
	생략	예 역공녀는 미인 아니다.

보조사만 드러나도 문장 성분은 '보어'이다.

예 그녀는 얼굴이 반쪽이나 되었다.
그녀는 사람도 아니다.

→ 보격 조사가 보조사에 의해 생략된 것일 뿐이므로 문장 성분은 보어이다.

출·좋·표 보어의 구별

유리는 공무원이 되었다. ▸보어
유리는 [얼굴이 작다.] ▸서술절의 주어

물이 얼음이 되었다. ▸보어
물이 얼음으로 되었다. ▸부사어
물이 얼음도 되었다. ▸보어

대표 亦功 기출

01 밑줄 친 부분이 주성분이 아닌 것은? 2015 교육행정직 9급

① 그는 나에게 <u>맹물만</u> 주었다.
② 그 사람 말은 <u>사실도</u> 아니었다.
③ 우리가 사고를 <u>미연에</u> 방지하지 못했다.
④ <u>정부에서</u> 그 일을 적극적으로 추진하고 있다.

02 밑줄 친 부분의 문장 성분이 다른 하나는? 2019 서울시 9급

① 그는 <u>밥도</u> 안 먹고 일만 한다.
② 몸은 아파도 <u>마음만은</u> 날아갈 것 같다.
③ 그는 그녀에게 <u>물만</u> 주었다.
④ 고향의 <u>사투리까지</u> 싫어할 이유는 없었다.

01
'미연에'는 부사격 조사가 결합한 부사어이므로 주성분이 아니라 부속 성분이다. 부속 성분에는 부사어와 관형어가 있다. (참고로 필수 부사어는 주성분이 아니라 부속 성분이다.)

오답풀이 주성분은 '주어, 목적어, 보어, 서술어'이다. 격 조사로 문장 성분을 파악할 수 있지만, 격 조사가 아니라 보조사가 결합된 경우에는 자연스러운 격 조사를 넣어서 파악해야 한다.
① 그는(주어) 나에게(부사어) 맹물만(목적어) 주었다.(서술어) : '맹물만'을 '맹물을'로 고치면 자연스럽다. 따라서 '맹물만'은 목적어이므로 주성분이다.
② 그(관형어) 사람(관형어) 말은(주어) 사실도(보어) 아니었다.(서술어) : '사실도'를 '사실이'로 고치면 자연스럽다. 뒤에 '되다, 아니다'가 오는 경우에는 앞이 보어가 된다. 따라서 '사실도'는 보어이므로 주성분이다.
④ 정부에서(주어) 그(관형어) 일을(목적어) 적극적으로(부사어) 추진하고 있다.(서술어) : 주격 조사 '에서'가 쓰였으므로 '정부에서'는 주어이므로 주성분이다.

정답 ③

02
밑줄 친 부분은 모두 격 조사를 생략시킨 보조사가 있다. 보조사는 격 조사처럼 문장 성분의 자격을 부여하는 중요한 능력이 없다. 따라서 이들 보조사를 격 조사로 바꾸어 보면 문장 성분을 쉽게 구별할 수 있다. 뒤에 있는 서술어를 보고 격 조사를 충분히 알아낼 수 있다. ②는 '마음(이) 날아갈 것 같다'와 같이 쓰이므로, 주격 조사가 들어가는 것이 자연스럽다. 즉, 문장 성분은 주어이다.

오답풀이 나머지 모두 문장에서 목적어로 쓰였다.
① 밥도(밥을) 안 먹다.
③ 물만(물을) 주었다.
④ 고향의 사투리까지(사투리를) 싫어하다.

정답 ②

관형사형 어미가 붙는 용언의 관형사형은 관형절이다.

4 관형어

개념	체언을 수식하는 문장 성분을 말한다. 관형어는 반드시 뒤에 체언이 와야 한다.	
표지	관형사 단독	예 새/헌/옛/온갖/모든/이/그/저 건물
	관형격 조사(의)	예 역공녀의 그림
	관형사형 어미 (–는, –ㄴ, –ㄹ, –던)	예 그녀는 동그란 안경을 썼다.

부사형 어미가 붙는 용언의 부사형은 부사절일 수 있다

5 부사어

개념	• 주로 용언을 꾸며 주는 성분으로, 부사어나 관형어, 때로는 문장 전체를 수식하기도 한다. • 부사어는 보통 수의적인 성분이지만, 서술어의 성격에 따라 필수적인 성분이 되는 경우도 있다.	
표지	부사 단독	예 그는 노래를 굉장히 잘한다.
	부사격 조사	예 승기가 군대에서 돌아왔다.
	보조사	예 빨리만 먹지 마라.
	부사형 어미 (–게, –아서, –도록, –이)	예 얼굴이 빛이 나게 잘생겼다.

☑ 부사어의 종류

성분 부사어	개념	특정한 문장 성분만 꾸미는 부사어 예 매우, 아주, 잘, 자주 등
	예	예 내일 밥 먹자 남자친구를 안 사귀었다. 기차가 빠르게 달렸다.
문장 부사어 (문장 전체 수식)	개념	문장 전체를 꾸미는 부사어 예 설마, 만약, 모름지기, 응당 / 및, 그리고, 그래서, 하지만 등
	예	예 과연 그것이 사실이었구나. 확실히 역공녀는 귀엽다 그러나 역공녀는 늙었다.

대칭 서술어란?
주어와 짝을 이루는 필수적 부사어가 필요한 서술어
예 싸우다, 만나다, 마주치다, 닮다, 같다, 다르다, 부부이다, 친구이다, 형제이다 등.

출·좋·표 **특이한 쓰임의 '필수 부사어'**

필수 부사어는 부속 성분이지만 문장에서 필수적으로 쓰여야 하는 특이한 놈이다. 필수 부사어인지는 서술어의 성격에 따라 결정되는데, 필수 부사어를 생략하면 문장의 뜻이 변하거나 비문이 된다.

예 역공녀는 공유와 싸웠다.
→ 서술어가 대칭 서술어인 경우에는 2자리 서술어

역공녀가 조카에게 편지를 주었다.
역공녀가 필통에 연필을 넣었다.
→ 서술어가 3자리 서술어 : 넣다, 주다, 삼다, 여기다, 두다 등

01 다음 밑줄 친 부분의 문장 성분으로 적절하지 않은 것은? 2017 소방직

> 자유롭게 ㉠ 저 하늘을 날아가도 놀라지 말아요 우리 앞에 펼쳐질 세상이 ㉡ 너무나 소중해 함께라면
> 마법의 ㉢성을 지나 늪을 건너 어둠의 동굴 속 ㉣ 멀리 그대가 보여
> ─「마법의 성」 노래 가사 ─

① ㉠ 관형어　② ㉡ 부사어
③ ㉢ 목적어　④ ㉣ 관형어

6 서술어(敍述語)

개념	주어의 동작 또는 상태나 성질	
표지	동사	예 역공녀가 밥을 먹는다.
	형용사	예 역공녀는 착하다.
	서술격 조사 '이다'	예 역공녀는 인간이다.

출·종·표 서술어의 자릿수: 서술어가 필요로 하는 필수 성분의 수

구분	필요한 성분	서술어의 종류	예시
한 자리 서술어	주어	자동사 형용사	예 꽃이 피었다. 꽃이 아름답다.
두 자리 서술어	주어, 목적어	타동사	예 그녀는 노래를 불렀다.
	주어, 보어	되다, 아니다	예 상익이는 공무원이 되었다.
	주어, 필수 부사어	대칭 서술어	예 영희는 철수와 닮았다. 이 책은 수험생들에게 적합하다. 영희는 철수와 싸웠다.
세 자리 서술어	주어, 목적어, 필수 부사어	주다, 삼다, 넣다, 드리다, 바치다, 가르치다, 얹다, 간주하다, 여기다 등	예 아버지께서 나에게 편지를 주셨다. 그녀는 나를 사위로 삼았다. 그녀는 그를 범인으로 여겼다.

'멀리'는 체언인 '그대'를 꾸미는 것이 아니기 때문에 관형어가 될 수 없다. '멀리'는 동사 '보여'를 꾸미는 부사어이다.

오답풀이 ① ㉠ 관형어: '저'는 체언 '하늘'을 꾸미므로 관형어이다.
② ㉡ 부사어: '너무나'는 용언(형용사) '소중해'를 꾸미므로 부사어이다.
③ ㉢ 목적어: '성을'에서 목적격 조사 '을'이 쓰였으므로 목적어이다.

정답 ④

대표 赤功 기출

다음 문장 중 밑줄 친 서술어의 자릿수가 다른 것은? 2016 경찰 1차

① 어제 만났던 그는 이제 선생님이 <u>아니다</u>.
② 군대에 가는 민수는 후배들에게 책을 <u>주었다</u>.
③ 배가 많이 고팠던 철수는 라면을 맛있게 <u>먹었다</u>.
④ 삶에 관심이 많은 학생들이 도서관에서 책을 <u>읽는다</u>.

'주다'는 '주어(민수는) – 필수 부사어(후배들에게) – 목적어(책을)'를 필수적으로 요구하는 세 자리 서술어이다.

오답풀이 ① '아니다'는 '주어(그는), 보어(선생님이)'를 필수적으로 요구하는 두 자리 서술어이다.
③ '먹었다.'는 '주어(철수는), 목적어(라면을)'를 필수적으로 요구하는 두 자리 서술어이다.
④ '읽는다.'는 '주어(학생들이), 목적어(책을)'를 필수적으로 요구하는 두 자리 서술어이다.

정답 ②

7 독립어

개념	다른 성분과 직접적인 관계가 없는 말로, 생략해도 문장이 성립한다.	
표지	감탄사 단독	와, 이게 사실이냐.
	체언+호격 조사	혜선아, 쉬는 시간이다!
	문장의 제시어	인생, 그것은 무엇일까?

MEMO

문장의 짜임새

赤功 국어 박혜선

☑ 역공 포인트

1. 홑문장과 겹문장을 구별하기
2. 이어진문장의 종류 구별하기
3. 안은문장의 종류 구별하기

한눈에 보기

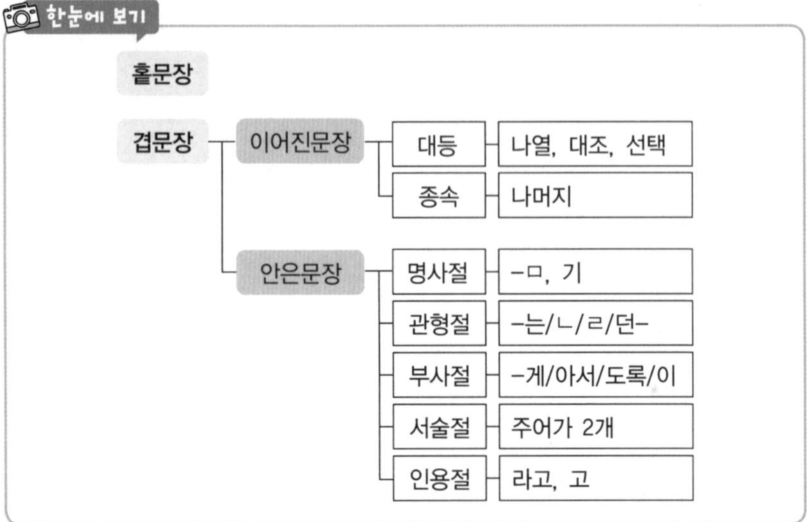

01 문장의 짜임새

1 홑문장

주어와 서술어의 관계가 한 번만 이루어지는 문장을 말한다.

• 철수는(주어) 저 꽃밭에서 모든 꽃을 아주 잘 심었다(서술어). → 홑문장

2 겹문장(문장의 확대)

주어와 서술어의 관계가 두 번 이상 이루어지는 문장을 말한다.
종류에는 이어진문장과 안은문장이 있다.

02 문장의 확대

1 이어진문장 (연결 어미가 핵심!!! 무조건 외우기)

1. 대등하게 이어진 문장

개념	홑문장이 힘이 대등한 관계로 이어진 문장이다.	
특징	★ 앞뒤 문장의 순서를 교체해도 원래의 의미와 동일하다.	
종류	나열 (-고, -(으)며)	산은 산이고 물은 물이다. 그는 성격이 멋지며 외모가 수려했다.
	대조 (-(으)나, -지만)	국어는 재밌지만 게임은 재미없다. (으나)
	선택 (-든지, -거나)	밥을 먹든지 반찬을 먹든지 네 맘대로 해라. (거나) (거나)

2. 종속적으로 이어진 문장

개념	홑문장이 힘이 종속적인 관계로 이어진 문장이다.	
특징	★ 앞뒤 문장의 순서를 교체할 수 없거나, 교체하면 원래의 뜻과 달라진다.	
종류	이유 (-아서/-어서, -므로, -니까)	산은 산이어서 마음이 편하다. 그는 성격이 멋지므로 내가 존경한다.
	조건 (-면, -거든, -더라면)	내가 너한테 지면 사람이 아니다! 역공녀를 만났더라면 결과가 달라졌을까.
	의도 (-려고, -고자)	밥을 먹으려고 집에 갔다.

출·좋·포 연결 어미 '-고'의 쓰임

- 저 여자가 엄마고 저 남자가 아빠다. → 대등하게 이어진 문장
- 저분들이 너를 이리로 데려 오고 너를 떠나보냈지. → 종속적으로 이어진 문장

대표 赤功 기출

대등하게 이어진 문장인 것은? 2018 소방직

① 까마귀 날자 배 떨어진다.
② 사공이 많으면 배가 산으로 간다.
③ 가는 말이 고와야 오는 말이 곱다.
④ 낮말은 새가 듣고 밤말은 쥐가 듣는다.

‘밤말은 쥐가 듣고 낮말은 새가 듣는다.’로 문장의 앞뒤 순서를 바꾸어도 의미가 바뀌지 않으므로 대등하게 이어진 문장이다.

오답풀이 ① → 배 떨어지자 까마귀 난다.
② → 배가 산으로 가면 사공이 많다.
③ → 오는 말이 고와야 가는 말이 곱다
위의 문장들은 문장의 앞뒤 순서를 바꾸면 의미가 바뀌므로 종속적으로 이어진 문장들에 해당한다.

정답 ④

2 안은문장 (전성 어미가 핵심!!!!)

개념	전체 문장 안에 작은 문장(=절)이 안겨 있는 경우 작은 문장(=절)이 하나의 문장 성분으로 쓰인다.
특징	주어, 목적어, 보어, 부사어 등 문장 성분으로 만들어 주는 어미가 붙어 실현된다.

1. 명사절을 안은 문장

개념	전체 문장 속에서 명사형 문장이 하나의 문장으로 주어, 목적어, 보어, 부사어의 기능을 하는 문장이다.	
특징	★ 명사형 전성 어미 ‘-(으)ㅁ’이나 기’가 붙어 실현된다.	
예시	주어	[그가 범인임]이 밝혀졌다. (‘이’=주격 조사)
	목적어	역공녀는 [공시생이 많이 오기]를 바란다. (‘를’=목적격 조사)
	부사어	모두들 [역공녀가 미인임]에 놀랐다. (‘에’=부사격 조사)

2. 관형절을 안은 문장

개념	전체 문장 속에서 관형사형 문장이 관형어의 기능을 하는 문장이다.	
특징	★ 관형사형 전성 어미 '-는, -ㄴ(은), -ㄹ(을), -던'	
종류	관계 관형절	관형절 뒤의 명사가 관형절 내에 생략됨.
		그건 [내가 먹은] 피자야. (피자를) 생략 [예쁜] 장미가 한 송이 피었다. (장미가) 생략
	동격 관형절	관형절 뒤의 명사가 관형절 내에 생략되지 않음. '소리, 소문, 사실, 기억, 일, 생각' 등이 있음.
		[피아노 치는] 소리가 안 들렸음 좋겠다. 피아노 친다 = 소리 요즘 [역공녀가 데뷔했다는] 소문이 전국에 돌았다. 역공녀가 데뷔했다 = 소문

3. 부사절을 안은 문장

개념	전체 문장 속에서 부사형 문장이 부사어의 기능을 하는 문장이다.
특징	어미 '-게, '-아서/-어서', '-도록', '-듯이' 등
예시	철수는 [영희가 행복하게] 해 주었다. 민수는 [너가 예뻐서] 계속 웃었다. 그는 [밤이 새도록] 공부에 전념했다. 비가 [소리도 없이] 내린다.

부사절은 위치에 따라 종속적으로 이어진 문장이 될 수 있다.

예 너가 예뻐서 민수는 계속 웃었다.
밤이 새도록 그는 공부에 전념했다.
→ 종속적으로 이어진 문장

4. 서술절을 안은 문장

개념	전체 문장 속에서 서술어의 기능을 하는 문장이다.
특징	★ 절 표지 없음.
예시	토끼가 [귀가 길다.] 집이 [거실이 넓다.]

5. 인용절을 안은 문장

개념	다른 사람의 말을 인용하는 기능을 하는 문장이다.
특징	★ 직접 인용 '라고', 간접 인용 '고' (모두 격 조사)
예시	그가 ["당신이 제일 아름답습니다"]라고 했다. (직접 인용) 그가 [내가 제일 아름답다]고 했다. (간접 인용)

대표 赤功 기출

01 다음 중 문장의 구성이 다른 것은? 2016 경찰직 1차

① 꽃이 피는 봄이 되었다.
② 재물을 보기를 돌같이 하라.
③ 누나가 시험에 합격했음을 알렸다.
④ 운동을 매일 하는데도 건강이 안 좋다.

02 〈보기〉에 대한 설명으로 옳지 않은 것은? 2021 소방 국어

보기

㉠ 우리 고양이는 머리가 좋다.
㉡ 우리는 그가 옳았음을 깨달았다.
㉢ 강아지가 소리도 없이 들어왔다.
㉣ 지영이는 나에게 어디를 가냐고 물었다.

① ㉠은 서술절을 안은 문장이다.
② ㉡은 명사절을 안은 문장이다.
③ ㉢은 관형절을 안은 문장이다.
④ ㉣은 인용절을 안은 문장이다.

01
'–는데'는 다음의 말을 끌어 내기 위해 그와 상반되는 사실을 미리 말할 때 쓰는 연결 어미이다. 연결 어미 '–는데'에 보조사 '도'가 결합한 것이므로 이어진 문장이다. 나머지는 안은문장이다.

오답풀이 ① [(봄에) 꽃이 피는] 봄이 되었다.
→ 안긴문장 : 관형절(관계) (절 표지 : 관형사형 어미 '–는')
② [재물을 보기]를 돌같이 하라.
→ 안긴문장 : 명사절 (절 표지 : 명사형 어미 '–기')
③ [누나가 시험에 합격했음]을 알렸다.
→ 안긴문장 : 명사절 (절 표지 : 명사형 어미 '–음')

정답 ④

02
'소리도 없이'는 관형절이 아니라 부사절이다.

오답풀이 ① ㉠ 우리 고양이는 [머리가 좋다] : 서술절을 안은 문장
② ㉡ 우리는 [그가 옳았음]을 깨달았다. : 명사형 어미 'ㅁ'이 붙었으므로 명사절을 안은 문장이다.
④ ㉣ 지영이는 나에게 [어디를 가냐]고 물었다. : 간접 인용 부사격 조사 '고'가 붙었으므로 인용절을 안은 문장이다.

정답 ③

MEMO

높임

赤功 국어 박혜선

한눈에 보기

종류	높임 대상	실현 방법
객체 높임	서술어의 객체 (목적어, 부사어)	① 부사격 조사 '께' ② 객체를 높이는 특수 어휘 (모시다, 드리다, 여쭈다, 뵙다)
상대 높임	청자	종결 어미
주체 높임	서술어의 주체 (주어)	① 선어말 어미 '-시-', '시-' ② 주격 조사 '께서' ③ 주체를 높이는 특수 어휘 (계시다, 주무시다, 드시다)

화자가 '주어'(주체 높임)나 '목적어 혹은 부사어'(객체 높임)나 '상대'(상대 높임)에 대하여 높고 낮음 정도를 표현하는 방식

1 객체 높임법

개념	문장의 '목적어나 부사어'(서술어의 객체)를 높임.	
실현 방법	① 체언+부사격 조사 '께'	예 어머니는 할아버지께 다과를 드렸다.
	② 객체 높임의 특수 어휘 예 모시다(데리다), 드리다(주다), 여쭈다, 여쭙다(묻다), 뵈다, 뵙다(보다) 등	예 어머니는 할아버지께 다과를 드렸다. 어머니는 할머니를 모신다.

15c 중세에는 객체 높임 선어말 어미 -숩-, -줍-, -숩-'이 빈번히 쓰였지만 차차 사라지게 되어 현재는 아주 제한적으로 사용되고 있다.
중세 때 비하여 현대의 객체 높임법은 많이 퇴화되었다.

대표 亦功 기출

01 다음 중 객체 높임법을 확인할 수 없는 것은? 2014 기상직 9급

① 어머니께 이 편지를 전해 드리고 오너라.
② 할머니께서는 잠귀가 매우 밝으신 편입니다.
③ 아버지를 모시고 병원에 좀 다녀오도록 해요.
④ 이번 일요일에는 할아버지를 꼭 뵙고 오도록 해라.

2 상대 높임법

개념	종결 어미를 통해 상대(듣는 이)를 높이는 방식	
종류	격식체	① 공식적인 대화에서 주로 사용한다. ② 심리적 거리가 존재한다. 의례적, 객관적인 높임법
	비격식체	① 비공식적인 대화에서 주로 사용한다. ② 심리적 거리가 가까워 정감이 있다.

출·좋·표 특히 많이 나오는 상대 높임 종결 어미

구분			외우는 역공 Tip
격식체	가장 높임	하십시오	-ㅂ니다, -ㅂ니까, -십시오, -시지요
	보통 높임	하오	'ㅗ'로 끝남, -ㅂ시다, -구려
	보통 낮춤	하게	'ㅔ'로 끝남, -ㄴ가?, -나?, -구먼
	가장 낮춤	해라	-다, -냐?, -니?, -어라, -자, -구나
비격식체	높임	해요	'ㅛ'로 끝남.
	낮춤	해	-아, -지?, -ㄹ까?, -군

대표 亦功 기출

02 높임 표현의 성격이 나머지 넷과 다른 것은?

① 전하! 성은이 망극하옵니다.
② 자네 수고했네. 이제 푹 쉬게!
③ 저기 보시오. 이제 해가 지는구려!
④ 행사가 끝났으니, 이제 식당으로 다 같이 가요!

01
'께서'에 주체 높임의 주격 조사 '께서'가 있다. '밝으신'에 주체 높임 선어말 어미 '-시-'가 있다. ('귀가 매우 밝으신'은 간접 높임 표현이다.) 하지만 객체 높임법은 확인할 수 없다.

오답풀이 ① 객체 높임의 부사격 조사 '께'와 객체 높임 어휘 '드리다'가 쓰였다.
③ 객체 높임 어휘 '모시고'가 쓰였다.
④ 객체 높임 어휘 '뵙고'가 쓰였다.

정답 ②

02
④는 비격식체이나 ①, ②, ③은 모두 격식체이다(① 하십시오체 ② 하게체 ③ 하오체)

정답 ④

3 주체 높임법

<table>
<tr><td>개념</td><td colspan="3">문장의 '주어'(서술어의 주체)를 높임.</td></tr>
<tr><td rowspan="3">실현 방법</td><td colspan="2">① 높임 주격 조사 '께서'</td><td rowspan="2">예 어머니께서 멋지시다.</td></tr>
<tr><td colspan="2">② 주체 높임 선어말 어미 '-시-'</td></tr>
<tr><td colspan="2">④ 주체 높임의 특수 어휘
예 말씀(말), 진지(밥), 댁(집), 성함(이름) 드시다(먹다), 계시다(있다), 편찮으시다(아프다), 주무시다(자다)</td><td>예 어머니는 댁에 계셨다.
할아버지는 편찮으시다.</td></tr>
<tr><td rowspan="2">종류</td><td>직접 높임</td><td colspan="2">말하는 이가 주어를 직접 높임</td></tr>
<tr><td>간접 높임</td><td colspan="2">말하는 이가 주어와 관련된 것(신체, 소유물, 관계, 성품이나 심리)을 높여 주어를 간접적으로 높임. 주로 서술절.
예 할아버지는 [지팡이가 멋있으시다.]
→ 할아버지의 지팡이를 높임으로써, 할아버지를 간접적으로 높였다.
부장님의 [따님이 예쁘시다.]
→ 부장님의 딸을 높임으로써, 부장님을 간접적으로 높였다.</td></tr>
</table>

대표 赤功 기출

㉠~㉢의 밑줄 친 부분이 높이고 있는 인물은? 2017 국가직 9급 추가

> ㉠ 할아버지께서는 아버지의 사업을 <u>도우신다</u>.
> ㉡ 형님이 선생님을 <u>모시고</u> 집으로 왔다.
> ㉢ 할머니, 아버지가 고모에게 전화하는 것을 <u>들었어요</u>.

	㉠	㉡	㉢
①	아버지	선생님	할머니
②	아버지	형님	아버지
③	할아버지	형님	아버지
④	할아버지	선생님	할머니

㉠ 할아버지께서는 아버지의 사업을 도우신다. : '도우시다'는 '돕[→ 도우]+시+다'이다. '-시-'는 주체 높임 선어말 어미이므로 높임의 대상은 주어 '할아버지'이다.
㉡ 형님이 선생님을 모시고 집으로 왔다. : '모시고'는 객체 높임 어휘이므로 높임의 대상은 목적어 '선생님'이다.
㉢ 할머니, 아버지가 고모에게 전화하는 것을 들었어요. : '-어(어미)+요(보조사)'는 청자를 높이는 상대 높임(해요체)이므로 높임의 대상은 청자인 '할머니'이다.

정답 ④

MEMO

사동 / 피동

赤功 국어 박혜선

☑ 역공 포인트

1. 사동 표현의 표지를 외우기
2. 사동의 종류 알기
3. 잘못된 사동 표현을 바르게 고치는 방법 알기

한눈에 보기

1. 사동의 종류
   - 파생적 사동 (짧은 사동)
     - 표지: '-이 / 히 / 리 / 기 / 우 / 구 / 추 / 이키 / 으키 / 애-'
     - 의미: 직접 사동 or 간접 사동
   - 통사적 사동 (긴 사동)
     - 표지: '-게 하다'
     - 의미: 간접 사동
2. 문장 구조의 변화
3. 틀린 사동 표현 — '-이-'와 '-시키다'의 남용

01 사동(使動)

• 사동(使動)이란 주어가 남에게 동작을 시키는 것을 말한다.
(주어가 동작을 직접 하는 것을 주동(主動)이라고 함.)
• 사동 표현은 주로 사동 접미사 혹은 보조 용언으로 실현된다.

1 사동(使動)의 종류

파생적 사동 (단형 사동)	① 용언의 어간+사동 접미사 '-이-, -히-, -리-, -기-, -우-, -구-, -추-, -이키-, -으키-, -애-', 이중 사동 접미사 '-이우-'	엄마가 아이에게 밥을 먹인다. [먹+-이-+-ㄴ-+-다] 엄마가 아이에게 옷을 입힌다. [입+-히-+-ㄴ+-다] 엄마가 아이에게 젖을 물렸다. [물+-리-+-었-+-다]
	② 서술성을 가진 명사+사동 접미사 '시키다'	역공녀가 학생을 합격시켰다.
통사적 사동 (장형 사동)	본용언에 보조 용언 '-게 하다'가 붙어 실현 예 엄마가 아이에게 밥을 먹게 한다.	

'이중 사동 표현'은 우리말 어법에 어긋나지 않는다.

예 서다 – 세우다(서-+-이-+-우-+다)
자다 – 재우다(자-+-이-+-우-+다)
타다 – 태우다(타-+-이-+-우-+-다)
차다 – 채우다(차-+-이-+-우-+-다)
트다 – 틔우다(트-+-이-+-우-+-다)

2 틀린 사동 표현

(1) 과도한 사동 접사 '이'의 사용

의미상 필요하지 않다면, 사동 접사 '이'를 남용하면 안 된다.

과도한 사동 접사 '이'의 사용 예시	기본형
그녀는 목메인(×) 목소리를 냈다. 〔목메+이+ㄴ〕 → 목멘(○)	목메다
넌 끼여들지마.(×) 〔끼+이+어+들+지+마〕 → 끼어들지마(○)	끼다
습관처럼 중요한 말을 되뇌이는(×) 버릇이 있다. 〔되+뇌+이+는〕 → 되뇌는(○)	되뇌다
역공녀를 보면 마음이 설레였다.(×) 〔설레+이+었+다〕 → 설레었다/설렜다(○)	설레다
비 개인(×) 거리를 나홀로~ 우산을 쓰고 걸어갔어~ 〔개+이+ㄴ〕 → 갠 (○)	개다
도시를 헤매이는(×) 아이들 〔헤매+이+는〕 → 헤매는(○)	헤매다
동이 트였다.(×) 〔트+이+었+다〕 → 텄다(○)	트다
철수는 아픈 할머니를 뉘였다.(×) 〔뉘+이+었+다〕 → 뉘었다(○) 철수는 영희에게 채였다.(×) 〔채+이+었+다〕 → 채었다(○)	뉘다 채다

(2) 과도한 사동 접사 '시키다'의 사용

'하다'를 쓸 수 있는 말에 무리하게 시키다'를 결합하지 않는다.

과도한 사동 접사 '시키다'의 사용 예시	기본형
내가 친구 한 명 소개시켜(×) 줄게. → ★ 소개해(○)	소개하다
이 공간을 분리시킬(×) 벽을 설치했다. → 분리할(○)	분리하다
모든 기계를 하루 종일 가동시켜서(×) 기일을 맞추도록 하자. → ★ 가동해서(○)	가동하다
입금시키다(×), 금지시키다(×), 강화시키다(×), 개선시키다(×), 결집시키다(×), 지연시키다(×), 고정시키다.(×) → 입금하다, ★ 금지하다, 강화하다, 개선하다, 결집하다, 지연하다, 고정하다	

대표 亦功 기출

밑줄 친 말의 쓰임이 올바른 것은? 2022. 지방직 9급

① 습관처럼 중요한 말을 되뇌이는 버릇이 있다.
② 나는 친구 집을 찾아 골목을 헤매이고 다녔다.
③ 너무 급하게 밥을 먹으면 목이 메이기 마련이다.
④ 그는 어린 시절 기계에 손가락이 끼이는 사고를 당했다.

손가락이 낌을 당하는 의미이므로 피동의 '끼이다'가 쓰이는 것은 옳다. 하지만 나머지 단어들은 접미사 '이'가 잘못 결합된 것이므로 각각 '되뇌는, 헤매고, 메기'로 고쳐야 한다.

정답 ④

赤功 국어 박혜선

☑ 역공 포인트

1. 피동 표현의 표지를 외우기
2. 피동의 종류 알기
3. 잘못된 피동 표현을 바르게 고치는 방법 알기

02 피동(被動)

한눈에 보기

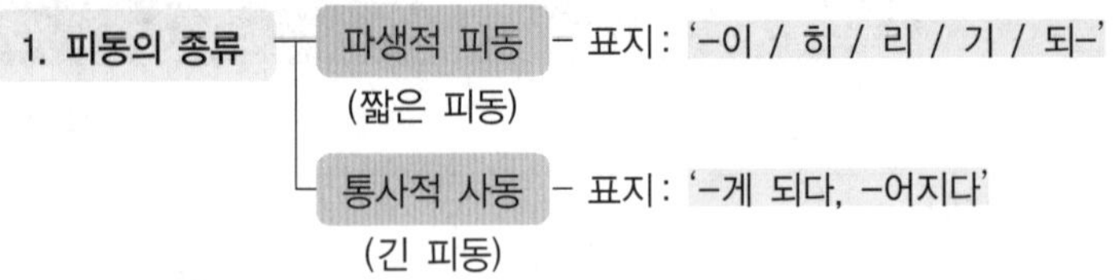

2. 문장 구조의 변화

3. 이중 피동의 남용

4. 사동과 피동의 구별

- 피동(被動)이란 주어가 당하는 것을 말한다.
- 주어가 스스로 움직이는 '능동 표현'에 상대되는 개념이다.
- 피동 표현은 주로 피동 접미사 혹은 보조 용언으로 실현된다.

1 피동(使動)의 종류

파생적 피동 (단형 피동)	① 동사의 어간(주로 타동사)+피동 접미사 '-이-, -히-, -리-, -기-'	도둑이 경찰에게 잡혔다. [잡+-히-+-었-+-다] 토끼가 사자에게 물렸다. [물+-리-+-었-+-다]
	② 서술성을 가진 명사+피동 접미사 '-되다'	카드 포인트가 등록되었다. [등록+-되-+-었-+-다]
통사적 피동 (장형 피동)	① 본용언+보조 용언 '-어지다'	구두끈이 풀어지다. [풀-+-어지-+-다]
	② 본용언에+보조 용언 '-게 되다'	사실이 드러나게 되다. [드러나-+-게 되다]

출·좋·포 모양이 같은 사동사와 피동사의 구별

공통되는 접미사 '-이 -, -히 -, -리 -, -기 -' 때문에 사동사와 피동사를 구별하는 문제가 나온다. 구별할 수 있는 꿀팁을 역공녀에게 배워보자.

	사동사	피동사
목적어의 유무	있음 예 역공녀가 공시생들에게 책을 읽혔다. 공녀가 공시생들에게 연필을 잡히다. 철수는 나에게 영화를 보였다.	없음 예 그 책은 많은 공시생들에게 읽혔다. 공시생들이 역공녀에게 잡혔다. 이제 영화가 보였다.
의미	-게 만들다.	-을 당하다.

피동사가 목적어를 갖는 예외의 경우 → 따라서 꼭 '의미'도 함께 파악하는 것이 좋다.

예 • 사동: 엄마는 아이에게 젖을 물렸다.
• 피동: 엄마는 아기에게 코를 물렸다. ('엄마'가 묾을 당한 의미가 있으므로 피동)
철수는 도둑에게 돈을 빼앗겼다. ('철수'가 빼앗음을 당한 의미가 있으므로 피동)

2 틀린 피동 표현

피동 접미사 '-이-, -히-, -리-, -기-'와 피동의 보조 용언 '-어지다'는 이중으로 겹쳐서 사용할 수 없다.

- 이 사실이 믿겨지지[믿- +-기-+-어지-+-지] 않았다.
  → 믿기지/믿어지지
- 내일 날씨는 맑을 것으로 보여집니다. [보-+-이-+-어지-+ㅂ니다]
  → 보입니다./보아집니다.
- 간판이 잘 읽혀지지[읽-+-히-+-어지-+-지] 않아요.
  → 읽히지/읽어지지
- 구두끈이 잘 풀려지지[풀-+-리-+-어지-+-지] 않는다.
  → 풀리지/풀어지지
- 손에 들려져[들-+-리-+-어지-+-어] 있는 물건이 없다.
  → 들려/들어져
- 열려져[열-+-리-+-어지-+-지] 있는 창문으로 모기가 들어왔다.
  → 열려/열어져
- 그는 천재로 불려졌다. [부르-+-이-+-어지-+-었-+-다]
  → 불렸다./불러졌다.
- 앞으로 이 문제가 잘 풀릴 것이라고 예상되어진다. [예상+-되-+-어지-+-ㄴ-+-다]
  → 예상된다.

밑줄 친 말이 가장 자연스러운 것은? 2015 국가직 7급

① 닫혀진 마음을 열 길이 없구나.
② 저쪽 복도에 놓여진 화분은 엄청 예쁘구나.
③ 그 토의에서 궁극적으로 받아들여진 것이 결국 뭐지?
④ 장마로 인해 끊겨진 통신 선로가 드디어 복구되었군요.

'받아들이다'는 '남의 말이나 요구 따위를 들어주다.'를 의미하므로 '당하다'를 의미하는 피동사가 아니다. 따라서 뒤에 피동 표현 '-어지다'가 붙어도 이중 피동 표현이라고 볼 수 없다.

☞ 이와 비슷하게 이중 피동이 아닌 단어들로는 '여겨지다, 밝혀지다, 알려지다, 읽혀지다'가 있다.

오답풀이 ① '닫+히(피동 접미사)+어지(피동 보조용언)+ㄴ'은 이중 피동이므로 옳지 않다.
② '놓+이(피동 접미사)+어진(피동 보조용언)+ㄴ'은 이중 피동이므로 옳지 않다.
④ '끊+기(피동 접미사)+어지(피동 보조 용언)+ㄴ'은 이중 피동이므로 옳지 않다.

정답 ③

MEMO

시작!

박혜선 국어

PART

04

어문 규정

표준 발음법

초성을 먼저 보면 '되묻다, 뒤묻다'가 앞선다. 이들의 초성은 같으므로 중성을 보면 '되묻다'가 앞선다. '틀니, 뜨다' 중에 된소리가 앞서므로 '뜨다'가 앞선다.

정답 ④

사전 등재 순서에 맞게 배열된 것은?

① 괴리–쾌거–쿠키–꾸기다
② 삽–삶–세모–새가슴
③ 여름–열매–엮다–옆다
④ 되묻다–뒤묻다–뜨다–틀니

제2항 | 표준어의 자음은 다음 19개로 한다.

ㄱ ㄲ / ㄴ / ㄷ ㄸ / ㄹ / ㅁ / ㅂ ㅃ / ㅅ ㅆ / ㅇ / ㅈ ㅉ / ㅊ ㅋ ㅌ ㅍ ㅎ

제2항

1. ❶ ______소리가 ❷ ______소리보다 일찍 온다.
2. ❸ __________의 된소리가 바로 뒤에 온 후 다음 자음으로 이동된다.

제3항 | 표준어의 모음은 다음 21개로 한다.

ㅏ	ㅑ	ㅓ	ㅕ	ㅗ	ㅛ	ㅜ	ㅠ	ㅡ	ㅣ
ㅐ	ㅒ	ㅔ	ㅖ	ㅘ ㅙ ㅚ		ㅝ ㅞ ㅟ		ㅢ	

제3항

1. ❹ __________ 모음이 먼저 온다.
2. ❺ __________ : ❻ ____가 붙는 경우
3. ❼ ____ : ㅏ, ㅐ, ㅣ가 붙는 경우
   ❽ ____ : ㅓ, ㅔ, ㅣ가 붙는 경우

받침의 사전 배열순서

ㄱ ㄲ ㄳ / ㄴ ㄵ ㄶ / ㄷ / ㄹ ㄺ ㄻ ㄼ ㄽ ㄾ ㄿ ㅀ / ㅁ / ㅂ ㅄ / ㅅ ㅆ / ㅇ / ㅈ ㅊ ㅋ ㅌ ㅍ ㅎ

제3항

제4항 | 겹자음 중에서 ❶ ______자음, ❷ ______자음 순으로 배열된다.

제4항 | ‘ㅏ ㅐ ㅓ ㅔ ㅗ ㅚ ㅜ ㅟ ㅡ ㅣ’는 단모음(單母音)으로 발음한다.

붙임 ‘ㅚ, ㅟ’는 원칙적으로 단모음이지만, 이중 모음으로 발음함도 허용한다.

출.좋.표 확인문제 제4항

ㅚ = [❸ ______(원칙) / ❹ ______(허용)]

표준 발음에 해당되지 않는 것은?

① [민주주의의 의의]
② [민주주의의 의이]
③ [민주주이에 의이]
④ [민주주의이 의의]

'의'는 단어의 첫음절에서는 [의]로만 발음되고, 조사는 [에]로도 발음할 수 있다. 둘째 음절 이하의 '의'는 [이]로도 발음할 수 있다. 따라서 ④ [민주주의이 의의]는 조사 '의'를 '이'로 발음했으므로 적절하지 않다.

정답 ④

제5항 | 'ㅑ ㅒ ㅕ ㅖ ㅘ ㅙ ㅛ ㅝ ㅞ ㅠ ㅢ'는 이중 모음으로 발음한다.

다만 1. 용언의 활용형에 나타나는 '져, 쪄, 쳐'는 [저, 쩌, 처]로 발음한다.

가져[가저]	쪄[쩌]	다쳐[다처]
묻혀[무처]	붙여[부처]	잊혀[이처]

제5항 다만1

❶________음 'ㅈ, ㅉ, ㅊ' 뒤에 ❷__________에서 발음되는 반모음 'ㅣ[j]'가 연이어 발음될 수 없기 때문이다.

다만 2. '예, 례' 이외의 'ㅖ'는 [ㅔ]로도 발음한다.

제5항 다만2

1. '예, 례'는 [❸______]로만 발음된다.
2. '계, 메, 폐, 혜'는 [❹_____](원칙), [❺_____](허용) 로도 발음한다.

다만 3. 자음을 첫소리로 가지고 있는 음절의 'ㅢ'는 [ㅣ]로 발음한다.

다만 4. 단어의 첫음절 이외의 '의'는 [ㅣ]로, 조사 '의'는 [ㅔ]로 발음함도 허용한다.

출·종·표 확인문제 제5항 다만3, 다만4

1. 자음을 가진 'ㅢ' = [❻_____]로만 발음됨.
2. 첫째 음절 '의' = [❼_____]로만 발음됨.
3. 둘째 음절 이하 '의' = [❽_____](원칙) [❾_____](허용)
4. 관형격 조사 '의' = [❿_____](원칙) [⓫_____](허용)

[Q1] 이중 모음의 표준 발음으로 옳은 것에 ○표 하시오.

가지+어	[가져, <u>가저</u>]	찌+어	[쪄, <u>쩌</u>]
닫히+어	[다텨, 다쳐, <u>다처</u>]	젖히+어	[저텨, 저쳐, <u>저처</u>]
붙이+어	[부텨, 부쳐, <u>부처</u>]	혜선	[<u>혜선</u>, <u>헤선</u>]
메별	[<u>몌별</u>, <u>메별</u>]	폐해	[<u>폐해</u>, <u>페해</u>, 패해]
예절	[<u>예절</u>, 에절]	늴리리	[<u>닐리리</u>, 늴리리]
희어	[희어, 희여, <u>히어</u>, <u>히여</u>]	차례	[<u>차례</u>, 차레]
무늬	[무늬, <u>무니</u>]	문의	[<u>무:늬</u>, <u>무:니</u>]
의의	[<u>의의</u>, <u>의이</u>, 이의, 이이]	성의의	[<u>성의의</u>, <u>성이의</u>, <u>성의에</u>, <u>성이에</u>]
횟집	[<u>횓찝</u>, 휃찝, <u>휀찝</u>, <u>회찝</u>, <u>훼찝</u>]	혼례	[혼녜, <u>홀례</u>]
계산	[<u>계산</u>, <u>게산</u>]	혜안	[<u>혜안</u>, <u>헤안</u>, 해안]
띄어쓰기	[띄여쓰기, 띄어쓰기, <u>띠어쓰기</u>, <u>띠여쓰기</u>]	주의	[<u>주의</u>, <u>주이</u>, 주에]

[Q1] 이중 모음의 표준 발음으로 옳은 것에 ○표 하시오.

가지+어	[가져, 가저]	찌+어	[쪄, 쩌]
닫히+어	[다텨, 다쳐, 다처]	젖히+어	[저텨, 저쳐, 저처]
붙이+어	[부텨, 부쳐, 부처]	혜선	[혜선, 헤선]
메별	[몌별, 메별]	폐해	[폐해, 페해, 패해]
예절	[예절, 에절]	늴리리	[닐리리, 늴리리]
희어	[희어, 희여, 히어, 히여]	차례	[차례, 차레]
무늬	[무늬, 무니]	문의	[무:늬, 무:니]
의의	[의의, 의이, 이의, 이이]	성의의	[성의의, 성이의, 성의에, 성이에]
횟집	[횓찝, 휃찝, 휀찝, 회찝, 훼찝]	혼례	[혼녜, 홀례]
계산	[계산, 게산]	혜안	[혜안, 헤안, 해안]
띄어쓰기	[띄여쓰기, 띄어쓰기, 띠어쓰기, 띠여쓰기]	주의	[주의, 주이, 주에]

대표 赤功 기출

표준 발음법 제12항을 고려할 때 표준 발음으로 옳은 것은?

「표준어 규정」제2부 표준 발음법
제12항 받침 ㅎ 의 발음은 다음과 같다.
1. 'ㅎ(ㄶ, ㅀ)' 뒤에 'ㄱ, ㄷ, ㅈ'이 결합되는 경우에는, 뒤 음절 첫소리와 합쳐서 [ㅋ, ㅌ, ㅊ]으로 발음한다.
2. 'ㅎ(ㄶ, ㅀ)' 뒤에 'ㅅ'이 결합되는 경우에는, 'ㅅ'을 [ㅆ]으로 발음한다.
3. 'ㅎ' 뒤에 'ㄴ'이 결합되는 경우에는, [ㄴ]으로 발음한다.
4. 'ㅎ(ㄶ, ㅀ)' 뒤에 모음으로 시작된 어미나 접미사가 결합되는 경우에는, 'ㅎ'을 발음하지 않는다.

① 나의 마음이 닿는[닫는] 데까지 해보겠다.
② 와, 찌개가 맛있게 끓네[끌레].
③ 흰둥이가 강아지를 낳습니다[낟씁니다].
④ 희망을 절대로 놓지[논찌] 마라.

'ㅀ' 받침은 [ㄹ]로 자음군 단순화된다. 그 이후에 뒤의 'ㄴ'이 앞의 'ㄹ'에서 'ㄹ' 소리로 동화되는 유음화가 일어나 [끌레]로 소리난다.

오답풀이 ① 3. 'ㅎ' 뒤에 'ㄴ'이 결합되는 경우에는, [ㄴ]으로 발음한다.
③ 2. 'ㅎ(ㄶ, ㅀ)' 뒤에 'ㅅ'이 결합되는 경우에는, 'ㅅ'을 [ㅆ]으로 발음한다.
④ 1. 'ㅎ(ㄶ, ㅀ)' 뒤에 'ㄱ, ㄷ, ㅈ'이 결합되는 경우에는, 뒤 음절 첫소리와 합쳐서 [ㅋ, ㅌ, ㅊ]으로 발음한다.

정답 ②

제12항 | 받침 'ㅎ'의 발음은 다음과 같다.

1. 'ㅎ'과 'ㄱ, ㄷ, ㅈ'이 결합되는 경우에는, 뒤 음절 첫소리와 합쳐서 [ㅋ, ㅌ, ㅊ]으로 발음한다.

놓고[노코] 좋던[조:턴] 쌓지[싸치]
많고[만:코] 않던[안턴] 닳지[달치]

각하[가카] 먹히다[머키다] 밝히다[발키다]
맏형[마텽] 좁히다[조피다] 넓히다[널피다]
꽂히다[꼬치다] 앉히다[안치다]

옷 한 벌[오탄벌] 낮 한때[나탄때]
꽃 한 송이[꼬탄송이] 숱하다[수타다]

2. 'ㅎ(ㄶ, ㅀ)' 뒤에 'ㅅ'이 결합되는 경우에는, 'ㅅ'을 [ㅆ]으로 발음한다.

닿소[다:쏘] 많소[만:쏘] 싫소[실쏘]

3. 'ㅎ' 뒤에 'ㄴ'이 결합되는 경우에는, [ㄴ]으로 발음한다.

놓는[논는] 쌓네[싼네]

붙임 'ㄶ, ㅀ' 뒤에 'ㄴ'이 결합되는 경우에는, 'ㅎ'을 발음하지 않는다.

않네[안네] 않는[안는] 뚫네[뚤네 → 뚤레] 뚫는[뚤는 → 뚤른]

4. 'ㅎ(ㄶ, ㅀ)' 뒤에 모음으로 시작된 어미나 접미사가 결합되는 경우에는, 'ㅎ'을 발음하지 않는다.

낳은[나은] 놓아[노아] 쌓이다[싸이다] 많아[마:나]
않은[아는] 닳아[다라] 싫어도[시러도]

출·종·포 확인문제 제12항

받침 'ㅎ'의 발음

1. 자음 축약
2. ❶_____ + ❷_____ = ❸_____
3. 음절의 끝소리 규칙 후 비음화

붙임 ㄶ : 않는[안는] : ㅎ 탈락
ㅀ : 뚫네[뚤레] : ㅎ 탈락 후 유음화

4. ❹_____ 탈락

제13항 | 홑받침이나 쌍받침이 모음으로 시작된 조사나 어미, 접미사와 결합되는 경우에는 제 음가대로 뒤 음절 첫소리로 옮겨 발음한다.

출·종·포 확인문제 제13항

모음 ❺_____ 형태소가 오는 경우에는 ❻_____된다.

[Q8] 올바른 표준 발음에 ○표 하시오.

꽃이 [꼬치, 꼬시]	꽂았다 [꼬잗따, 꼬삳따]
무릎에 [무르페, 무르베]	무릎 위 [무르퓌, 무르뷔]
부엌이 [부어키, 부어기]	부엌 안 [부어칸, 부어간]
바깥을 [바까틀, 바까츨]	바깥이 [바까티, 바까치, 바까시]
바깥만 [바깓만, 바깐만]	밭을 [바틀, 바츨]

[Q8] 올바른 표준 발음에 ○표 하시오.

꽃이 [꼬치, 꼬시]	꽃았다 [꼬잗따, 꼬삳따]
무릎에 [무르페, 무르베]	무릎 위 [무르퓌, 무르뷔]
부엌이 [부어키, 부어기]	부엌 안 [부어칸, 부어간]
바깥을 [바까틀, 바까츨]	바깥이 [바까티, 바까치, 바까시]
바깥만 [바깐만, 바깐만]	밭을 [바틀, 바츨]

제14항 | 겹받침이 모음으로 시작된 조사나 어미, 접미사와 결합되는 경우에는, 뒤엣것만을 뒤 음절 첫소리로 옮겨 발음한다.
(이 경우, 'ㅅ'은 된소리로 발음함)

출·종·포 확인문제 제14항

모음 ❶ ______ 형태소가 오는 경우에는 ❷ ______ 한다.

다만, 겹받침이 '❸ ____'으로 끝나는 경우에는 '❹ ____'을 ❺ ______ 로 발음한다.

[Q10] 올바른 표준 발음에 ○표 하시오.

넋을 [넉슬, 넉쓸]	닭에 [달게, 다게]
젊은 [절믄, 저믄]	없어 [업서, 업써]
외곬으로 [외고르로, 외골스로, 외골쓰로]	삯이 [사기, 삭시, 삭씨]
값의 [갑싀, 갑세, 갑씌, 갑쎄]	읊었다 [을펃따, 을퍼따, 으벋따]
삶에 [살메, 사메]	않아 [안하, 아나]

[Q10] 올바른 표준 발음에 ○표 하시오.

넋을 [넉슬, 넉쓸]	닭에 [달게, 다게]
젊은 [절믄, 저믄]	없어 [업서, 업써]
외곬으로 [외고르로, 외골스로, 외골쓰로]	삯이 [사기, 삭시, 삭씨]
값의 [갑싀, 갑세, 갑씌, 갑쎄]	읊었다 [을펃따, 을퍼따, 으벋따]
삶에 [살메, 사메]	않아 [안하, 아나]

> **제15항 |** 받침 뒤에 모음 'ㅏ, ㅓ, ㅗ, ㅜ, ㅟ'들로 시작되는 실질 형태소가 연결되는 경우에는, 대표음으로 바꾸어서 뒤 음절 첫소리로 옮겨 발음한다.

다만, '맛있다[마딛따], 멋있다[머딛따]'는 [마싣따], [머싣따]로도 발음할 수 있다.

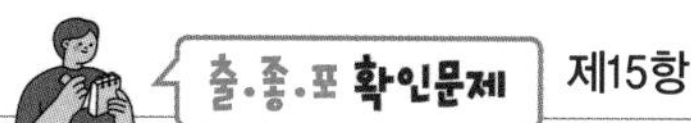

제15항

제11항 | 모음 ❶ ______ 형태소가 오는 경우에는 홑받침이든 쌍받침이든 겹받침이든 ❷ __________ 후 ❸ ________한다.

다만, '맛있다[마딛따], 멋있다[머딛따]' 이 2개만 [마딛따], [머딛따](원칙) / [마싣따], [머싣따](허용)으로 발음된다.

[Q11] 올바른 표준 발음에 ○표 하시오.

넋 있다 [넉씯따, 넉씯다, 너긷따, 너긷다]	늪 안에 [느파네, 느바네]
밭 아래 [바타래, 바다래]	멋없다 [머섭따, 머덥따]
젖어미 [저더미, 저저미]	헛웃음 [허두슴, 허수슴]
멋있다 [머디따, 머시따, 머딛따, 머싣따]	맛있다 [마디따, 마시따, 마딛따, 마싣따]

[Q11] 올바른 표준 발음에 ○표 하시오.

넋 있다 [넉씯따, 넉씯다, 너긷따, 너긷다]	늪 안에 [느파네, 느바네]
밭 아래 [바타래, 바다래]	멋없다 [머섭따, 머덥따]
젖어미 [저더미, 저저미]	헛웃음 [허두슴, 허수슴]
멋있다 [머디따, 머시따, 머딛따, 머싣따]	맛있다 [마디따, 마시따, 마딛따, 마싣따]

대표 亦功 기출

다음의 밑줄 친 부분에 대한 표준 발음으로 옳은 것은?

① 그녀의 얼굴에는 더 이상 애써 짓는 헛웃음[허수슴]은 보이지 않았다.
② 관객들이 썰물[썰:물]처럼 빠져나갔다.
③ 30분 동안 앉아 있었더니 무릎이[무르비] 저리다.
④ 연변에 살던 분들은 한글 자모 '지읒을[지으슬]' 서울사람과는 달리 발음한다.

제16항 | 한글 자모의 이름은 그 받침소리를 연음하되, 'ㄷ, ㅈ, ㅊ, ㅋ, ㅌ, ㅍ, ㅎ'의 경우에는 특별히 다음과 같이 발음한다.

출.좋.포 확인문제

한글 자모의 이름은 ❶ ____________ 후에 ❷ ______한다.

다만, 음절의 끝소리 규칙이 적용되어 '❸ ______'으로 발음된 것들은 모두 '❹ ______'으로 바꿔서 연음한다.

디귿이[디그시]	디귿을[디그슬]	디귿에[디그세]
지읒이[지으시]	지읒을[지으슬]	지읒에[지으세]
치읓이[치으시]	치읓을[치으슬]	치읓에[치으세]
키읔이[키으기]	키읔을[키으글]	키읔에[키으게]
티읕이[티으시]	티읕을[티으슬]	티읕에[티으세]
피읖이[피으비]	피읖을[피으블]	피읖에[피으베]
히읗이[히으시]	히읗을[히으슬]	히읗에[히으세]

자주 헷갈리는 한글 자모의 이름
기역, 키읔 / 디귿, 티읕 / 시옷

한글 자음이 연음하는 경우에는 [지으즐]이 아니라 [지으슬]이 옳다.

오답풀이 ① 헛웃음 : [헛웃음 → (음절의 끝소리 규칙, 연음) → 허두슴]
② 표준 발음법 제7항, 붙임에 의하면 '밀-물, 썰-물, 쏜-살-같이, 작은-아버지'와 같은 합성어에서는 본디의 길이에 관계없이 짧게 발음하므로 [썰물]이 옳다.
③ 무릎이 : 모음으로 시작하는 형식 형태소가 오는 경우에는 그대로 연음되므로 [무르피]가 옳다.

정답 ④

[Q12] 올바른 표준 발음에 ○표 하시오.

디귿 [디귿, 디귿]	디귿이 [디그디, 디그시]
지읒 [지읃, 지읒]	지읒이 [지으지, 지으시]
치읓 [치읃, 치읒]	치읓이 [치으치, 치으시]
키읔 [키읔, 키윽]	키읔이 [키으키, 키으기]
티읕 [티읃, 티읏]	티읕이 [티으티, 티으시]
피읖 [피읖, 피읍]	피읖이 [피으피, 피으비]
히읗 [히읃, 히읏]	히읗이 [히으히, 히으시]

[Q12] 올바른 표준 발음에 ○표 하시오.

디귿 [디귿, 디귿]	디귿이 [디그디, 디그시]
지읒 [지읃, 지읒]	지읒이 [지으지, 지으시]
치읓 [치읃, 치읒]	치읓이 [치으치, 치으시]
키읔 [키읔, 키윽]	키읔이 [키으키, 키으기]
티읕 [티읃, 티읏]	티읕이 [티으티, 티으시]
피읖 [피읖, 피읍]	피읖이 [피으피, 피으비]
히읗 [히읃, 히읏]	히읗이 [히으히, 히으시]

제30항 | 사이시옷이 붙은 단어는 다음과 같이 발음한다.

1. **'ㄱ, ㄷ, ㅂ, ㅅ, ㅈ'으로 시작하는 단어 앞에 사이시옷이 올 때에는 이들 자음만을 된소리로 발음하는 것을 원칙으로 하되, 사이시옷을 [ㄷ]으로 발음하는 것도 허용한다.**

냇가[내:까/낻:까] 샛길[새:낄/샏:낄]
빨랫돌[빨래똘/빨랟똘] 콧등[코뜽/콛뜽]
깃발[기빨/긷빨] 대팻밥[대:패빱/대:팯빱]
햇살[해쌀/핻쌀] 뱃속[배쏙/밷쏙]
뱃전[배쩐/밷쩐] 고갯짓[고개찓/고갣찓]

2. **사이시옷 뒤에 'ㄴ, ㅁ'이 결합되는 경우에는 [ㄴ]으로 발음한다.**

콧날[콘날 → 콘날] 아랫니[아랟니 → 아랜니]
툇마루[퇻:마루 → 퇸:마루] 뱃머리[밷머리 → 밴머리]

3. **사이시옷 뒤에 '이' 음이 결합되는 경우에는 [ㄴㄴ]으로 발음한다.**

베갯잇[베갣닏 → 베갠닏] 깻잎[깯닙 → 깬닙]
나뭇잎[나묻닙 → 나문닙] 도리깻열[도리깯녈 → 도리깬녈]
뒷윷[뒫:뉻 → 뒨:뉻]

출.좋.표 확인문제

1. 된소리(원칙) / 받침 'ㄷ' + 된소리(허용)

2. 'ㄴ' 덧남 : ❶ ________ → ❷ ________

3. 'ㄴㄴ' 덧남 : ❸ ________, ❹ ________

[Q28] 올바른 표준 발음에 ○표 하시오.

냇가 [내:까, 낻:까]	콧날 [콘날, 콛날]
대팻밥 [대:패빱, 대:팯빱]	베갯잇 [베갠닏, 베갣닏]
뱃머리 [밷머리, 밴머리]	뒷윷 [뒤:듇, 뒨:뉻, 뒫:뉻]
도리깻열 [도리깨떨, 도리깯녈, 도리깬녈]	고갯짓 [고개찓, 고갣찓]
뱃전 [배쩐, 밷쩐]	베갯잇 [베갠닏, 베갣닏, 베개딛]
툇마루 [퇻:마루, 퇸:마루]	아랫니 [아랜니, 아랟니, 아래디]
깻잎 [깯닙, 깬닙]	햇살 [해쌀, 핻쌀]
나뭇잎 [나무딥, 나묻닙, 나문닙]	꼭짓점 [꼭지쩜, 꼭짇쩜]
깃발 [기빨, 긷빨]	빨랫돌 [빨래똘, 빨랟똘]

[Q28] 올바른 표준 발음에 ○표 하시오.

냇가 [내:까, 낻:까]	콧날 [콘날, 콛날]
대팻밥 [대:패빱, 대:팯빱]	베갯잇 [베갠닏, 베갣닏]
뱃머리 [밷머리, 밴머리]	뒷윷 [뒤:듇, 뒨:뉻, 뒫:뉻]
도리깻열 [도리깨떨, 도리깯녈, 도리깬녈]	고갯짓 [고개찓, 고갣찓]
뱃전 [배쩐, 밷쩐]	베갯잇 [베갠닏, 베갣닏, 베개딛]
툇마루 [퇻:마루, 퇸:마루]	아랫니 [아랜니, 아랟니, 아래디]
깻잎 [깯닙, 깬닙]	햇살 [해쌀, 핻쌀]
나뭇잎 [나무딥, 나묻닙, 나문닙]	꼭짓점 [꼭지쩜, 꼭짇쩜]
깃발 [기빨, 긷빨]	빨랫돌 [빨래똘, 빨랟똘]

추가로 인정된 표준 발음(2017. 12. 4. 국립국어원 고시)

☑ **2017년 12월 표준 발음으로 추가 인정된 것은 다음과 같다.**

표제항	표준 발음	표제항	표준 발음
감언이설	[가먼니설/가머니설]	순이익	[순니익/수니익]
★인기척	[인끼척/인기척]	★안간힘	[안깐힘/안간힘]
★교과[01]	[교:과/교:꽈]	연이율	[연니율/여니율]
★관건[02]	[관건/관껀]	영영[01]	[영:영/영:녕]
괴담이설	[괴:담니설/궤:다미설]	의기양양	[의:기양양/의:기양냥]
★반값	[반:갑/반:깝]	강약	[강약/강냑]
밤이슬	[밤니슬/바미슬]	★점수[06]	[점쑤/점수]
분수[06]	[분쑤/분수]	★함수[04]	[함:쑤/함:수]
★불법[01]	[불법/불뻡]	★효과[01]	[효:과/효:꽈]

PART 04

표준어 규정

2011년 새로 인정된 복수 표준어

☑ 기존 표준어와 같은 뜻으로 추가로 표준어로 인정한 것(11개)

기존 표준어	추가 표준어
간질이다	간지럽히다
남우세스럽다	남사스럽다 +
목물	등물 +
만날	맨날
묏자리	묫자리
복사뼈	복숭아뼈
세간	세간살이
쌉싸래하다	쌉싸름하다
고운대	토란대 +
허섭스레기	허접쓰레기
토담	흙담

+ **남사스럽다/남우세스럽다** : 남에게 놀림과 비웃음을 받을 만한 데가 있다.
+ **등물/목물** : 팔다리를 뻗고 구부린 사람의 허리 위에서 목까지를 물로 씻는 일. 또는 그 물
+ **토란대/고운대** : 토란의 잎 밑에 붙은 줄거리

☑ 현재 표준어와 별도의 표준어로 추가로 인정한 것(24개)

기존 표준어	추가된 표준어	뜻 차이
~기에	~길래	~길래 : '~기에'의 구어적 표현
괴발개발	개발새발	'괴발개발'은 '고양이의 발과 개의 발'이라는 뜻이고, '개발새발'은 '개의 발과 새의 발'이라는 뜻임.
날개	나래	'나래'는 '날개'의 문학적 표현
냄새	내음	'내음'은 향기롭거나 나쁘지 않은 냄새로 제한됨.
눈초리	눈꼬리	• 눈초리 : 어떤 대상을 바라볼 때 눈에 나타나는 표정, 눈의 한 부분 예 매서운 눈초리 • 눈꼬리 : 눈의 귀 쪽으로 째진 부분
떨어뜨리다	떨구다	'떨구다'에 '시선을 아래로 향하다'라는 뜻 있음.
뜰	뜨락 +	'뜨락'에는 추상적 공간을 비유하는 뜻이 있음.
먹을거리	먹거리	먹거리 : 사람이 살아가기 위하여 먹는 음식을 통틀어 이름.
메우다	메꾸다	'메꾸다'에 '무료한 시간을 적당히 또는 그럭저럭 흘러가게 하다.'라는 뜻이 있음.

+ **뜨락/뜰** : 집 안의 앞뒤나 좌우로 가까이 있는 평평한 땅

기존 표준어	추가된 표준어	뜻 차이
손자(孫子)	손주	• 손자 : 아들의 아들. 또는 딸의 아들 • 손주 : 손자와 손녀를 아울러 이르는 말
어수룩하다	어리숙하다	'어수룩하다'는 '순박함/순진함'의 뜻이 강한 반면에, '어리숙하다'는 '어리석음'의 뜻이 강함.
연방	연신	'연신'이 반복성을 강조한다면, '연방'은 연속성을 강조
휭허케	휑하니+	휭허케 : '휑하니'의 예스러운 표현
거치적거리다	걸리적거리다	자음 또는 모음의 차이로 인한 어감 및 뜻 차이 존재
끼적거리다	끄적거리다	〃
두루뭉술하다	두리뭉실하다	〃
맨송맨송	맨숭맨숭/ 맹숭맹숭+	〃
바동바동	바둥바둥	〃
새치름하다	새초롬하다	〃
아옹다옹	아웅다웅	〃
야멸치다	야멸차다+	〃
오순도순	오손도손	〃
찌뿌듯하다	찌뿌둥하다	〃
치근거리다	추근거리다+	〃

☑ **두 가지 표기를 모두 표준어로 인정한 것(3개)**

기존 표준어	추가 표준어
태껸	택견
품세	품새+
자장면	짜장면

2014년 새로 인정된 복수 표준어

☑ **현재 표준어와 같은 뜻을 가진 표준어로 인정한 것(5개)**

기존 표준어	추가 표준어
구안괘사(口眼喎斜)	구안와사(口眼喎斜)+
굽실, 굽실거리다, 굽실대다, 굽실하다, 굽실굽실	굽신, 굽신거리다, 굽신대다, 굽신하다, 굽신굽신+
눈두덩	눈두덩이
삐치다	삐지다
작장초	초장초+

+ **휑하니/휭허케** : 지체하지 않고 매우 빨리 가는 모양

+ **맨숭맨숭/맨송맨송** : 몸에 털이 있을 곳에 털이 없어 반반한 모양

+ **야멸차다/야멸치다** : 남의 사정을 돌보지 않고 제 일만 생각하다.

+ **추근거리다/치근거리다** : 몹시 싫어하도록 은근히 자꾸 귀찮게 굴다.

+ **품새/품세** : 태권도 수련 방법의 한 가지

+ **구완와사/구완괘사** : 입과 눈이 한쪽으로 쏠리어 비뚤어지는 병

+ '굽신'이 표준어로 인정됨에 따라, '굽신거리다, 굽신대다, 굽신하다, 굽신굽신, 굽신굽신하다' 등도 표준어로 함께 인정됨.

+ **초장초/작장초** : 괭이밥과의 여러해살이풀

☑ 현재 표준어와 뜻이나 어감이 차이가 나는 별도의 표준어로 인정한 것(8개)

기존 표준어	추가 표준어	뜻 차이
개개다	개기다	• 개기다 : (속되게) 명령이나 지시를 따르지 않고 버티거나 반항하다. • 개개다 : 성가시게 달라붙어 손해를 끼치다.
꾀다	꼬시다	• 꼬시다 : '꾀다'를 속되게 이르는 말 • 꾀다 : 그럴듯한 말이나 행동으로 남을 속이거나 부추겨서 자기 생각대로 끌다.
장난감	놀잇감	• 놀잇감 : 놀이 또는 아동 교육 현장 따위에서 활용되는 물건이나 재료 • 장난감 : 아이들이 가지고 노는 여러 가지 물건
딴죽	딴지	• 딴지 : (주로 '걸다, 놓다'와 함께 쓰여) 일이 순순히 진행되지 못하도록 훼방을 놓거나 어기대는 것 • 딴죽 : 이미 동의하거나 약속한 일에 대하여 딴전을 부림을 비유적으로 이르는 말
사그라지다	사그라들다	• 사그라들다 : 삭아서 없어져 가다. • 사그라지다 : 삭아서 없어지다.
섬뜩	섬찟+	• 섬찟 : 갑자기 소름이 끼치도록 무시무시하고 끔찍한 느낌이 드는 모양 • 섬뜩 : 갑자가 소름이 끼치도록 무섭고 끔찍한 느낌이 드는 모양 '섬찟'이 표준어로 인정됨에 따라, '섬찟하다, 섬찟섬찟, 섬찟섬찟하다' 등도 표준어로 함께 인정됨.
속병	속앓이	• 속앓이 : ① 속이 아픈 병. 또는 속에 병이 생겨 아파하는 일 ② 겉으로 드러내지 못하고 속으로 걱정하거나 괴로워하는 일 • 속병 : ① 몸속의 병을 통틀어 이르는 말 ② '위장병01'을 일상적으로 이르는 말 ③ 화가 나거나 속이 상하여 생긴 마음의 심한 아픔
허접스럽다	허접하다	• 허접하다 : 허름하고 잡스럽다. • 허접스럽다 : 허름하고 잡스러운 느낌이 있다.

+ '섬찟'이 표준어로 인정됨에 따라, '섬찟하다, 섬찟섬찟, 섬찟섬찟하다' 등도 표준어로 함께 인정됨.

2015년 새로 인정된 복수 표준어

☑ 복수 표준어 : 현재 표준어와 같은 뜻을 가진 표준어로 인정한 것(4개)

기존 표준어	추가 표준어	비고
마을	마실	• '이웃에 놀러 다니는 일'의 의미에 한하여 표준어로 인정함. '여러 집이 모여 사는 곳'의 의미로 쓰인 '마실'은 비표준어임. • '마실꾼, 마실방, 마실돌이, 밤마실'도 표준어로 인정함. 예 나는 아들의 방문을 열고 이모네 마실 갔다 오마라고 말했다.
예쁘다	이쁘다	• '이쁘장스럽다, 이쁘장스레, 이쁘장하다, 이쁘디이쁘다'도 표준어로 인정함. 예 어이구, 내 새끼 이쁘기도 하지.
차지다	찰지다	• 사전에서 '차지다'의 원말로 풀이함. 예 화단의 찰진 흙에 하얀 꽃잎이 화사하게 떨어져 날리곤 했다.
-고 싶다	-고프다	• 사전에서 '-고 싶다'가 줄어든 말로 풀이함. 예 그 아이는 엄마가 보고파 앙앙 울었다.

별도 표준어: 현재 표준어와 뜻이 다른 표준어로 인정한 것(5개)

기존 표준어	추가 표준어	뜻 차이
가오리연	꼬리연	• 꼬리연: 긴 꼬리를 단 연 예 행사가 끝날 때까지 하늘을 수놓았던 대형 꼬리연도 비상을 꿈꾸듯 끊임없이 창공을 향해 날아올랐다. • 가오리연: 가오리 모양으로 만들어 꼬리를 길게 단 연. 띄우면 오르면서 머리가 아래위로 흔들린다.
의논	의론	• 의론(議論): 어떤 사안에 대하여 각자의 의견을 제기함. 또는 그런 의견 예 이러니저러니 의론이 분분하다. • 의논(議論): 어떤 일에 대하여 서로 의견을 주고 받음. → '의론되다, 의론하다'도 표준어로 인정함.
이키	이크	• 이크: 당황하거나 놀랐을 때 내는 소리. '이키'보다 큰 느낌을 준다. 예 이크, 이거 큰일 났구나 싶어 허겁지겁 뛰어갔다. • 이키: 당황하거나 놀랐을 때 내는 소리. '이끼'보다 거센 느낌을 준다.
잎사귀	잎새	• 잎새: 나무의 잎사귀. 주로 문학적 표현에 쓰인다. 예 잎새가 몇 개 남지 않은 나무들이 창문 위로 뻗어올라 있었다. • 잎사귀: 낱낱의 잎. 주로 넓적한 잎을 이른다.
푸르다	푸르르다	• 푸르르다: '푸르다'를 강조할 때 이르는 말 예 겨우내 찌푸리고 있던 잿빛 하늘이 푸르르게 맑아 오고 어디선지도 모르게 흙냄새가 뭉클하니 풍겨 오는 듯한 순간 벌써 봄이 온 것을 느낀다. • 푸르다: 맑은 가을 하늘이나 깊은 바다, 풀의 빛깔과 같이 밝고 선명하다. 예 '푸르르다'는 '으 불규칙 용언'으로 분류함.

복수 표준형: 현재 표준적인 활용형과 용법이 같은 활용형으로 인정한 것(2개)

기존 표준형	추가 표준형	비고
마 마라 마요	말아 말아라 말아요	• '말다'에 명령형 어미 '-아', '-아라', '-아요' 등이 결합할 때는 어간 끝의 'ㄹ'이 탈락하기도 하고 탈락하지 않기도 함. 예 내가 하는 말 농담으로 듣지 마/말아. 얘야, 아무리 바빠도 제사는 잊지 마라/말아라. 아유, 말도 마요/말아요.
노라네 동그라네 조그마네 …	노랗네 동그랗네 조그맣네 …	• ㅎ 불규칙 용언이 어미 '-네'와 결합할 때는 어간 끝의 'ㅎ'이 탈락하기도 하고 탈락하지 않기도 함. • '그렇다, 노랗다, 동그랗다, 뿌옇다, 어떻다, 조그맣다, 커다랗다' 등등 모든 ㅎ불규칙용언의 활용형에 적용됨. 예 생각보다 훨씬 노랗네/노라네. (노랗니, 노랗냐 / 노라니, 노라냐) 이 빵은 동그랗네/동그라네. (동그랗니, 동그랗냐 / 동그라니, 동그라냐) 건물이 아주 조그맣네/조그마네. (조그맣니, 조그맣냐 / 조그마니, 조그마냐)

2016년 새로 인정된 복수 표준어

☑ 추가 표준어(4항목)

기존 표준어	추가 표준어	뜻 차이
거방지다	걸판지다	걸판지다 : [형용사] ① 매우 푸지다. 예 술상이 걸판지다 / 마침 눈먼 돈이 생긴 것도 있으니 오늘 저녁은 내가 걸판지게 사지. ② 동작이나 모양이 크고 어수선하다. 예 싸움판은 자못 걸판져서 구경거리였다. / 소리판은 옛날이 걸판지고 소리할 맛이 났었지. 거방지다 : [형용사] ① 몸집이 크다. ② 하는 짓이 점잖고 무게가 있다. ③ = 걸판지다①
건울음	겉울음	겉울음 : [명사] ① 드러내 놓고 우는 울음 예 꾹꾹 참고만 있다 보면 간혹 속울음이 겉울음으로 터질 때가 있다. ② 마음에도 없이 겉으로만 우는 울음 예 눈물도 안 나면서 슬픈 척 겉울음 울지 마. 건울음 : [명사] = 강울음 강울음 : [명사] 눈물 없이 우는 울음, 또는 억지로 우는 울음
까다롭다	까탈스럽다	까탈스럽다 : [형용사] ① 조건, 규정 따위가 복잡하고 엄격하여 적응하거나 적용하기에 어려운 데가 있다. '가탈스럽다①'보다 센 느낌을 준다. 예 까탈스러운 공정을 거치다. / 규정을 까탈스럽게 정하다. / 가스레인지에 길들여진 현대인들에게 지루하고 까탈스러운 숯 굽기 작업은 쓸데없는 시간 낭비로 비칠 수도 있겠다. ② 성미나 취향 따위가 원만하지 않고 별스러워 맞춰 주기에 어려운 데가 있다. '가탈스럽다②'보다 센 느낌을 준다. 예 까탈스러운 입맛 / 성격이 까탈스럽다. / 딸아이는 사 준 옷이 맘에 안 든다고 까탈스럽게 굴었다. 예 같은 계열의 '가탈스럽다'도 표준어로 인정함. 까다롭다 : [형용사] ① 조건 따위가 복잡하거나 엄격하여 다루기에 순탄하지 않다. ② 성미나 취향 따위가 원만하지 않고 별스럽게 까탈이 많다.
실몽당이	실뭉치	실뭉치 : [명사] 실을 한데 뭉치거나 감은 덩이 예 뒤엉킨 실뭉치 / 실뭉치를 풀다 / 그의 머릿속은 엉클어진 실뭉치같이 갈피를 못 잡고 있었다. 실몽당이 : [명사] 실을 풀기 좋게 공 모양으로 감은 뭉치

☑ 추가 표준형(2항목)

기존 표준형	추가 표준형	비고
에는	엘랑	• 표준어 규정 제25항에서 '에는'의 비표준형으로 규정해 온 '엘랑'을 표준형으로 인정함. • '엘랑' 외에도 'ㄹ랑'에 조사 또는 어미가 결합한 '에설랑, 설랑, -고설랑, -어설랑, -질랑'도 표준형으로 인정함. • '엘랑, -고설랑' 등은 단순한 조사/어미 결합형이므로 사전 표제어로는 다루지 않음. 예 서울엘랑 가지를 마오. / 교실에설랑 떠들지 마라. 나를 앞에 앉혀 놓고설랑 자기 아들 자랑만 하더라.
주책없다	주책이다	• 표준어 규정 제25항에 따라 '주책없다'의 비표준형으로 규정해 온 '주책이다'를 표준형으로 인정함. • '주책이다'는 '일정한 줏대가 없이 되는 대로 하는 짓'을 뜻하는 '주책'에 서술격조사 '이다'가 붙은 말로 봄. • '주책이다'는 단순한 명사+조사 결합형이므로 사전 표제어로는 다루지 않음. 예 이제 와서 오래 전에 헤어진 그녀를 떠올리는 나 자신을 보며 '나도 참 주책이군.' 하는 생각이 들었다.

제7항 | 수컷을 이르는 접두사는 '수-'로 통일한다.

표준어(○)	비표준어(×)	비 고
수-꿩	수-퀑, 숫-꿩	'장끼'도 표준어임.
수-나사	숫-나사	
수-놈	숫-놈	
수-사돈+	숫-사돈	
수-소	숫-소	'황소'도 표준어임.
수-은행나무	숫-은행나무	

+ **수사돈**: 사위 쪽의 사돈 ↔ 암사돈: 며느리 쪽의 사돈

다만 1. 다음 단어에서는 접두사 다음에서 나는 거센소리를 인정한다. 접두사 '암-'이 결합되는 경우에도 이에 준한다.

표준어(○)	비표준어(×)	표준어(○)	비표준어(×)
수-캉아지	숫-강아지	수-캐	숫-개
수-컷	숫-것	수-키와+	숫-기와
수-탉	숫-닭	수-탕나귀	숫-당나귀
수-톨쩌귀+	숫-돌쩌귀	수-퇘지	숫-돼지
수-평아리	숫-병아리		

+ **수키와**: 두 암키와 사이를 엎어 잇는 기와

+ **수톨쩌귀**: 문짝에 박아서 문설주에 있는 암톨쩌귀에 꽂게 되어 있는, 뾰족한 촉이 달린 돌쩌귀

다만 1.과 다만 2. 이외의 단어에서는 무조건 '수-'로 통일된다.

다만 2. 다음 단어의 접두사는 '숫-'으로 한다.

표준어(○)	비표준어(×)	표준어(○)	비표준어(×)
숫-양	수-양	숫-염소	수-염소
숫-쥐	수-쥐		

출·종·표 **확인문제** 제7항 수ㅎ, 숫, 수

제7항 | 수컷을 이르는 접두사는 '수-'로 통일한다.

1. 수ㅎ (암ㅎ) → 총 9개

❶ ______ ❷ ______ ❸ ______ ❹ ______ ❺ ______ ❻ ______ ❼ ______

(강아지) (병아리) 쩌귀 와

2. 숫 → 총 3개

❽ ______ ❾ ______ ❿ ______

소

3. 수 → 대부분

[Q2] 표준말에 ○표 하시오.

수퀑, 수꿩, 숫꿩	수탉, 숫닭
수나사, 숫나사	숫돼지, 수퇘지
수놈, 숫놈	수컷, 숫것
숫사돈, 수사돈	숫당나귀, 수탕나귀
숫소, 수소	숫병아리, 수평아리
수은행나무, 숫은행나무	숫양, 수양
숫강아지, 수캉아지	수염소, 숫염소
수키와, 숫기와	숫쥐, 수쥐
수톨쩌귀, 숫돌쩌귀	숫개, 수캐

[Q2] 표준말에 ○표 하시오.

수퀑, 수꿩, 숫꿩	수탉, 숫닭
수나사, 숫나사	숫돼지, 수퇘지
수놈, 숫놈	수컷, 숫것
숫사돈, 수사돈	숫당나귀, 수탕나귀
숫소, 수소	숫병아리, 수평아리
수은행나무, 숫은행나무	숫양, 수양
숫강아지, 수캉아지	수염소, 숫염소
수키와, 숫기와	숫쥐, 수쥐
수톨쩌귀, 숫돌쩌귀	숫개, 수캐

제12항 | '웃-' 및 '윗-'은 명사 '위'에 맞추어 '윗-'으로 통일한다.

표준어(○)	비표준어(×)	비 고
윗-넓이	웃-넓이	
윗-눈썹	웃-눈썹	
윗-니	웃-니	
윗-당줄+	웃-당줄	
윗-덧줄+	웃-덧줄	
윗-도리	웃-도리	
윗-동아리	웃-동아리	준말은 '윗동'임.
윗-막이+	웃-막이	
윗-머리	웃-머리	
윗-목	웃-목	
윗-몸	웃-몸	윗몸 운동

+ **윗당줄**: 망건당(망건의 윗부분)에 꿴 당줄
+ **윗덧줄**: 악보의 오선(五線) 위에 덧붙여 그 이상의 음높이를 나타내기 위하여 짧게 긋는 줄
+ **윗막이**: 물건의 위쪽 머리를 막은 부분

윗-바람	웃-바람	
윗-배	웃-배	
윗-벌	웃-벌	
윗-변	웃-변	수학 용어
윗-사랑	웃-사랑	
윗-세장+	웃-세장	
윗-수염	웃-수염	
윗-입술	웃-입술	
윗-잇몸	웃-잇몸	
윗-자리	웃-자리	
윗-중방+	웃-중방	

+ **윗세장**: 지게나 걸채 따위에서 윗부분에 가로질러 박은 나무
+ **윗중방**: 창문 위 또는 벽의 위쪽 사이에 가로지르는 인방

다만 1. 된소리나 거센소리 앞에서는 '위-'로 한다.

표준어(○)	비표준어(×)	비 고
위-짝	웃-짝	
위-쪽	웃-쪽	
위-채	웃-채	
위-층	웃-층	
위-치마	웃-치마	
위-턱	웃-턱	위턱구름[上層雲]
위-팔	웃-팔	

다만 2. '아래, 위'의 대립이 없는 단어는 '웃-'으로 발음되는 형태를 표준어로 삼는다.

표준어(○)	비표준어(×)	비 고
웃-국+	윗-국	
웃-기+	윗-기	
웃-돈+	윗-돈	
웃-비+	윗-비	웃비걷다
웃-어른	윗-어른	
웃-옷+	윗-옷	

'위'와 '아래'의 대립이 없는 단어는 '웃-'의 형태를 표준어로 삼는다는 조항이다.

+ **웃국**: 간장이나 술 따위를 담가서 익힌 뒤에 맨 처음에 떠낸 진한 국
+ **웃기**: 떡, 포, 과일 따위를 괸 위에 모양을 내기 위하여 얹는 재료
+ **웃돈**: 본래의 값에 덧붙이는 돈
+ **웃비**: 아직 우기(雨氣)는 있으나 좍좍 내리다가 그친 비
+ **웃옷**: 맨 겉에 입는 옷. '윗옷(상의)'은 '아래옷(하의)'의 반대임.

출.종.포 확인문제 제12항 '웃/위, 윗'

1. 웃 : '위, 아래'의 대립이 없음.
   ❶ ________에 ❷ ________가 내리면 ❸ ________들이 ❹ ________는다.

2. 위/윗 : '위, 아래'의 대립이 있음.
   위 : '❺ ________소리, ❻ ________소리' 앞
   윗 : 나머지

[Q4] 표준말에 ○표 하시오.

윗넓이, 웃넓이	웃바람, 윗바람	웃짝, 위짝
웃눈썹, 윗눈썹	웃배, 윗배	위쪽, 웃쪽
윗니, 웃니	윗벌, 웃벌	웃채, 위채
웃당줄, 윗당줄	웃변, 윗변	위층, 웃층
웃덧줄, 윗덧줄	웃사랑, 윗사랑	웃치마, 위치마
웃도리, 윗도리	윗세장, 웃세장	웃턱, 위턱
웃동아리, 윗동아리	웃수염, 윗수염	위팔, 웃팔
윗막이, 웃막이	웃입술, 윗입술	윗국, 웃국
윗머리, 웃머리	윗잇몸, 웃잇몸	윗기, 웃기
윗목, 웃목	윗자리, 웃자리	웃돈, 윗돈
웃몸, 윗몸	윗중방, 웃중방	윗비, 웃비
윗어른, 웃어른	웃옷, 윗옷	

[Q4] 표준말에 ○표 하시오.

윗넓이, 웃넓이	웃바람, 윗바람	웃짝, 위짝
웃눈썹, 윗눈썹	웃배, 윗배	위쪽, 웃쪽
윗니, 웃니	윗벌, 웃벌	웃채, 위채
웃당줄, 윗당줄	웃변, 윗변	위층, 웃층
웃덧줄, 윗덧줄	웃사랑, 윗사랑	웃치마, 위치마
웃도리, 윗도리	윗세장, 웃세장	웃턱, 위턱
웃동아리, 윗동아리	웃수염, 윗수염	위팔, 웃팔
윗막이, 웃막이	웃입술, 윗입술	윗국, 웃국
윗머리, 웃머리	윗잇몸, 웃잇몸	윗기, 웃기
윗목, 웃목	윗자리, 웃자리	웃돈, 윗돈
웃몸, 윗몸	윗중방, 웃중방	윗비, 웃비
윗어른, 웃어른	웃옷, 윗옷	

한글 맞춤법

赤功 국어 박혜선

대표 赤功 기출

사이시옷 표기가 모두 옳지 않은 것은? 2019. 서울시 7급

① 붕엇빵 – 공붓벌레
② 마굿간 – 인삿말
③ 공깃밥 – 백짓장
④ 도맷값 – 머릿털

사이시옷은 15세기에 관형격의 기능이 있었다.
나랏 말솜(나라의 말씀)
부텻 말솜(부처의 말씀)

+ **고랫재**: 방고래(방 구들장 밑으로 낸 고랑)에 모여 쌓여 있는 재
+ **귓밥(귓불)**: 귓바퀴의 아래쪽으로 늘어진 살
+ **뒷갈망**: 일의 뒤끝을 맡아서 처리하는 일. 뒷감당
+ **머릿기름**: 머리털에 바르는 기름
+ **볏가리**: 벼를 베어서 가려 놓거나 볏단을 차곡차곡 쌓은 더미
+ **우렁잇속**: 내용이 복잡하여 헤아리기 어려운 일을 비유적으로 이르는 말

마구간(○): 한자어 '마구(馬廏)'와 한자어 '간(間)'의 결합으로 사이시옷을 받쳐 적지 않는다.
인사말(○): [인사말]로 사잇소리 현상이 일어나지 않으므로 사이시옷을 표기하지 않는다.

오답풀이 ① 공붓벌레(○)
붕엇빵(×) → 붕어빵(○): 된소리나 거센소리 앞에서는 사이시옷을 쓰지 않는다.
③ 공깃밥(○)
백짓장(×) → 백지장(○): 한자어 '백지(白紙)'와 한자어 '장(張)'의 결합으로 이루어진 어휘이므로 사이시옷을 받쳐 적지 않는다.
④ 도맷값(○)
머릿털(×) → 머리털(○): 된소리나 거센소리 앞에서는 사이시옷을 쓰지 않으므로 '머리털'로 적는 것이 바르다.

정답 ②

제30항 | 사이시옷은 다음과 같은 경우에 받치어 적는다.

1. 순우리말로 된 합성어로서 앞말이 모음으로 끝난 경우

(1) 뒷말의 첫소리가 된소리로 나는 것

고랫재+	귓밥+	나룻배	나뭇가지
냇가	댓가지	뒷갈망+	맷돌
머릿기름+	모깃불	못자리	바닷가
뱃길	볏가리+	부싯돌	선짓국
쇳조각	아랫집	우렁잇속+	잇자국
잿더미	조갯살	찻집	쳇바퀴
킷값	핏대	햇볕	혓바늘

(2) 뒷말의 첫소리 'ㄴ, ㅁ' 앞에서 'ㄴ' 소리가 덧나는 것

멧나물　　아랫니　　텃마당　　아랫마을
뒷머리　　잇몸　　깻묵　　냇물
빗물

(3) 뒷말의 첫소리 모음 앞에서 'ㄴㄴ' 소리가 덧나는 것

도리깻열+　　뒷윷　　두렛일　　뒷일
뒷입맛　　베갯잇　　욧잇　　깻잎
나뭇잎　　댓잎

+ **도리깻열**: 도리깨의 한 부분. 곧고 가느다란 나뭇가지 두세 개로 만들며, 이 부분을 아래로 돌리어 곡식을 두드려 낟알을 떤다.

2. 순우리말과 한자어로 된 합성어로서 앞말이 모음으로 끝난 경우

(1) 뒷말의 첫소리가 된소리로 나는 것

귓병(-病)　　머릿방(-房)+　　뱃병(-病)　　봇둑(洑-)+
사잣밥(使者-)+　　샛강(샛-)　　아랫방(-房)　　자릿세(-貰)
전셋집(傳貰-)　　찻잔(-盞)　　찻종(-鍾)+　　촛국(醋-)+
콧병(-病)　　탯줄(胎-)　　텃세(-貰)　　핏기(-氣)
햇수(-數)　　횟가루(灰-)　　횟배(蛔-)

(2) 뒷말의 첫소리 'ㄴ, ㅁ' 앞에서 'ㄴ' 소리가 덧나는 것

곗날(契-)　　제삿날(祭祀-)　　훗날(後-)　　툇마루(退-)
양칫물

(3) 뒷말의 첫소리 모음 앞에서 'ㄴㄴ' 소리가 덧나는 것

가욋일(加外-)+　　사삿일(私私-)+　　예삿일(例事-)　　훗일(後-)

+ **머릿방(-房)**: 안방의 뒤에 달려 있는 방
+ **봇둑(洑-)**: 보(흐르는 냇물을 가두어 놓은 곳)를 둘러쌓은 둑
+ **사잣밥(使者-)**: 초상집에서 죽은 사람의 넋을 부를 때 저승사자에게 대접하는 밥
+ **찻종(-鍾)**: 차를 따라 마시는 종지. 찻잔
+ **촛국(醋-)**: 초를 친 냉국

+ **가욋일(加外-)**: 필요 밖의 일
+ **사삿일(私私-)**: 개인의 사사로운 일

3. 두 음절로 된 다음 한자어

곳간(庫間)　　셋방(貰房)　　숫자(數字)　　찻간(車間)
툇간(退間)　　횟수(回數)

PART 04

출·종·포 확인문제 제30항 사이시옷의 조건

1. 적어도 하나의 (❶)
   모두 (❷)라면 사이시옷을 못 붙인다.
   예 유리잔(琉璃盞), 소주잔(燒酒盞) 맥주잔(麥酒盞), 장미과(薔薇科), 화병(火病), 포도과(葡萄科), 초점(焦點), 전세방(傳貰房), 개수(個數), 마구간(馬廐間), 수라간(水剌間), 도매금(都賣金)

   단, 예외 6가지가 있음
   예 툇간(退間), 곳간(庫間), 셋방(貰房), 찻간(車間), 횟수(回數), 숫자(數字)

2. (❸)이 일어남.
   (❸)이 일어나지 않으면 사이시옷을 못 붙인다.

   사잇소리 현상은?
   ① ❹ ________
   ② '❺ ____' 덧남
   ③ '❻ ____' 덧남
   예 인사말[인사말], 머리말[머리말], 꼬리말[꼬리말], 고무줄 [고무줄], 초가집[초가집], 소나기밥[소나기밥]

출·종·포 고유어가 하나 있으면 사이시옷 추가 가능성이 높아진다.

알아두면 좋을 고유어들
- **값**: 절댓값[절때깝/절땓깝], 덩칫값[덩치깝/덩칟깝], 죗값[죄:깝/좯:깝]
- **길**: 등굣길[등교낄/등굗낄], 혼삿길[혼사낄/혼삳낄], 고갯길[고개낄/고갣낄]
- **집**: 맥줏집[맥쭈찝/맥쭏찝], 횟집[회:찝/횓:찝], 부잣집[부:자찝/부:잗찝]
- **빛**: 장밋빛[장미삗/장믿삗], 보랏빛[보라삗/보랃삗] 햇빛[해삗/핻삗]
- **말**: 혼잣말[혼잔말], 시쳇말[시첸말], 노랫말[노랜말]
- **국**: 만둣국[만두꾹/만둗꾹], 고깃국[고기꾹/고긷꾹], 북엇국[부거꾹/부걷꾹]

[Q12] 올바른 표기에 ○표, 틀린 표기에 ×표 하시오.

꼭짓점	○, ×	맥줏집	○, ×	북어국	○, ×
전셋집	○, ×	시체말	○, ×	가욋일	○, ×
전셋방	○, ×	순댓국	○, ×	고양이과	○, ×
갯수	○, ×	촛점	○, ×	셋방	○, ×

[Q12] 올바른 표기에 ○표, 틀린 표기에 ×표 하시오.

꼭짓점	○, ×	맥줏집	○, ×	북어국	○, ×
전셋집	○, ×	시체말	○, ×	가욋일	○, ×
전셋방	○, ×	순댓국	○, ×	고양이과	○, ×
갯수	○, ×	촛점	○, ×	셋방	○, ×

대표 亦功 기출

다음의 설명에 따라 올바르게 표기된 경우가 아닌 것은? 2019. 서울시 9급(2차)

- 어간의 끝음절 '하'의 'ㅏ'가 줄고 'ㅎ'이 다음 음절의 첫소리와 어울려 거센소리로 될 적에는 거센소리로 적는다.
- 어간의 끝음절 '하'가 아주 줄 적에는 준 대로 적는다.

① 섭섭지 ② 흔타
③ 익숙치 ④ 정결타

익숙치 → 익숙지(○): '하' 앞의 받침의 소리가 [ㄱ, ㄷ, ㅂ]인 경우에는 '하'가 통째로 탈락되므로 '익숙+지: 익숙지'가 옳다.

오답풀이 ① '하' 앞의 받침의 소리가 [ㄱ, ㄷ, ㅂ]인 경우에는 '하'가 통째로 탈락되므로 '섭섭+지: 섭섭지'가 옳다.
② '하' 앞의 받침의 소리가 '울림소리'인 경우에는 하'의 'ㅏ'만 탈락되어 거센소리가 된다. 따라서 '흔ㅎ+다: 흔타'는 옳다.
④ '하' 앞의 받침의 소리가 '울림소리'인 경우에는 하'의 'ㅏ'만 탈락되어 거센소리가 된다. 따라서 '정결ㅎ+다: 정결타'는 옳다.

정답 ③

제40항 | 어간의 끝음절 '하'의 'ㅏ'가 줄고 'ㅎ'이 다음 음절의 첫소리와 어울려 거센소리로 될 적에는 거센소리로 적는다.

간편하게 → 간편케 연구하도록 → 연구토록
가하다 → 가타 정결하다 → 정결타
흔하다 → 흔타 다정하다 → 다정타

붙임1 'ㅎ'이 어간의 끝소리로 굳어진 것은 받침으로 적는다.

않다	않고	않지	않든지
그렇다	그렇고	그렇지	그렇든지
아무렇다	아무렇고	아무렇지	아무렇든지
어떻다	어떻고	어떻지	어떻든지
이렇다	이렇고	이렇지	이렇든지
저렇다	저렇고	저렇지	저렇든지

붙임2 어간의 끝음절 '하'가 아주 줄 적에는 준 대로 적는다.

거북하지 → 거북지 생각하건대 → 생각건대
생각하다 못하여 → 생각다 못해 깨끗하지 않다 → 깨끗지 않다
넉넉하지 않다 → 넉넉지 않다 못하지 않다 → 못지않다
섭섭하지 않다 → 섭섭지 않다 익숙하지 않다 → 익숙지 않다

붙임3 다음과 같은 부사는 소리대로 적는다.

결단코 결코 기필코 무심코 아무튼 요컨대
정녕코 필연코 하마터면 하여튼 한사코

출.종.포 확인문제 제40항

1. 어간의 끝 음절 '하'가 ❶ ______________(ㄱ, ㄷ, ㅂ, ㅅ 등) 뒤에서 아예 탈락된다.
   예 생각+지 않다 = 시답잖다, 마뜩+지 않다 = 마뜩잖다
2. 어간의 끝 음절 '하'가 ❷ ___________(모음, ㄴ, ㄹ, ㅁ, ㅇ 등) 뒤에서 'ㅏ'만 탈락한다.
   예 편ㅎ+지 않다=편찮다, 변변ㅎ+지 않다=변변찮다
3. 단, '서슴다, 삼가다'는 '❸ _________, ❹ _________'로 활용된다.

제56항 | '-더라, -던'과 '-든지'는 다음과 같이 적는다.

1. 지난 일을 나타내는 어미는 '-더라, -던'으로 적는다.

지난겨울은 몹시 춥더라. 깊던 물이 얕아졌다.
그렇게 좋던가? 그 사람 말 잘하던데!
얼마나 놀랐던지 몰라.

2. 물건이나 일의 내용을 가리지 아니하는 뜻을 나타내는 조사와 어미는 '-든지'로 적는다.

배든지 사과든지 마음대로 먹어라. 가든지 오든지 마음대로 해라.

출.종.포 확인문제 제56항 과거의 '-던' vs 선택의 '-든'

1. ❶ _________의 의미 : -던
   예 오랜만에 만났더니 반갑더라. / 선생님도 이젠 늙으셨더구나.
   그림을 잘 그렸던데 여기에 걸자. / 선생님은 교실에 계시던걸.
2. ❷ _________의 의미 : -든
   예 사과를 먹든지 감을 먹든지 하렴. / 가든(지) 말든(지) 상관없다.

출·좋·표 **제56항 주의해야 할 어미**

-ㄹ는지 (-ㄹ런지 ×)	예 그 사람이 과연 올는지. / 자네도 같이 떠날는지.
-려 (-ㄹ려 ×)	예 편지를 쓰려면(쓸려면×) 서둘러야 한다. 떼려야(뗄레야×) 뗄 수 없다. 시험에 붙으려나(붙을려나×) 모르겠어요. 내가 그 음식을 만들려고(○) 한다.
-느냐/ -으냐/-냐	• '-느냐'는 동사 어간 뒤에, '-으냐'는 형용사 어간 뒤에 쓰인다. 예 어디에 가느냐? / 방이 넓으냐? • '-냐'는 현대 국어에서 '-느냐, -으냐'와 달리 주로 구어에서 '이다' 및 모든 용언에 결합할 수 있다. 예 그렇게 좋냐(좋으냐○)?

제57항 | 다음 말들은 각각 구별하여 적는다.

가름 : 그들의 끈기가 이 경기의 승패를 가름했다.
갈음 : 오늘 이것으로 치사를 갈음하고자 합니다.
가늠 : 전봇대의 높이를 가늠할 수 있겠니?

▶ 가름 : 쪼개거나 나누어 따로따로 되게 하는 일 / 승부나 등수 따위를 정하는 일
갈음 : 다른 것으로 바꾸어 대신함.
가늠 : 사물을 어림잡아 헤아리다.

걷잡다 : 걷잡을 수 없는 상태
겉잡다 : 겉잡아서 이틀 걸릴 일

▶ 걷잡다 : 한 방향으로 치우쳐 흘러가는 형세 따위를 붙들어 잡다. 마음을 진정하거나 억제하다.
겉잡다 : 겉으로 보고 대강 짐작하여 헤아리다.

바치다 : 나라를 위해 목숨을 바쳤다.
받치다 : 우산을 받치고 간다. 책받침을 받친다.
이 영화는 배경 음악이 장면을 잘 받쳐 주어서 더욱 감동적이다.
맨바닥에서 잠을 자려니 등이 받쳐서 잠이 오지 않는다.
받히다 : 쇠뿔에 받혔다.
밭치다 : 삶은 국수를 찬물에 헹군 후 체에 밭쳐 놓았다.

▶ 바치다 : 신이나 웃어른께 드리다. 무엇을 위하여 모든 것을 아낌없이 내놓거나 쓰다.
받치다 : 물건의 밑이나 옆 따위에 다른 물체를 대다. 어떤 일을 잘할 수 있도록 뒷받침해 주다.
받히다 : '받다(머리나 뿔 따위로 세차게 부딪치다.)'의 피동사
밭치다 : '밭다(건더기와 액체가 섞인 것을 체 따위에 따라서 액체만을 따로 받아 내다.)'를 강조

느리다 : 진도가 너무 느리다.
늘이다 : 고무줄(엿가락, 바짓단)을 늘인다.
늘리다 : 고무줄(엿가락, 바짓단)의 나머지

▶ 느리다 : 동작을 하는 데 걸리는 시간이 길다.
늘이다 : 본디보다 더 길어지게 하다.
늘리다 : 물체의 부피 따위를 본디보다 커지게 하다. 수나 분량 따위를 본디보다 많아지게 하다.

맞추다
'맞추다'는 '대상끼리 서로 비교한다.'는 의미를 가져서 '답안지를 정답과 맞추다.'와 같은 경우에만 쓴다.

맞히다 : 여러 문제를 더 맞혔다. 화살을 과녁에 정확하게 맞혔다.
꼬마들에게는 주사를 맞히기가 힘들다.
이런 날씨에 비를 맞추니 멀쩡한 사람도 병이 나지.
맞추다 : 시험이 끝나고 나와 철호는 서로의 답을 맞춰 보았다.
이제 각자의 답을 정답과 맞춰 보도록 해라.

▶ 맞히다 : 문제에 대한 답을 틀리지 않게 하다. 자연 현상에 따라 내리는 눈, 비 따위를 닿게 하다.
맞추다 : 나머지

반드시 : 약속은 반드시 지켜라.
반듯이 : 고개를 반듯이 들어라.

▶ 반드시 : 틀림없이 꼭
반듯이 : 비뚤어지거나 기울거나 굽지 않고 바르게

지그시 : 놀부는 흥부의 발을 지그시 밟았다.
지긋이 : 영희는 나이가 지긋이 들어 보였다

▶ 지그시 : 슬며시 힘을 주는 모양
지긋이 : 나이가 비교적 많아 듬직하게

부딪치다 : 차와 차가 마주 부딪쳤다. 자동차가 가로수에 부딪쳤다.
부딪히다 : 마차가 화물차에 부딪혔다.
공공 정책은 강력한 반대에 부딪혀 공공 갈등을 유발한다.

▶ 부딪치다 : '부딪다'를 강조
부딪히다 : '부딪다'의 피동사. 부딪음을 당하다.

이따가 : 이따가 오너라.
있다가 : 돈은 있다가도 없다. 여기에 며칠 더 있다가 갈게.

▶ 이따가 : '조금 지난 뒤에'라는 뜻을 나타내는 부사
있다가 : '있다'의 '있-'에 어떤 동작이나 상태가 끝나고 다른 동작이나 상태로 옮겨지는 뜻을 나타내는 어미 '-다가'가 붙은 형태이다. '이따가'도 어원적인 형태는 '있- + -다가'로 분석되는 것이지만, 그 어간의 본뜻에서 멀어진 것이므로 소리 나는 대로 적는다.

조리다 : 생선을 조린다. / 통조림, 병조림
졸이다 : 마음을 졸인다. / 찌개를 졸이다

▶ 조리다 : 양념을 한 고기나 생선, 채소 따위를 국물에 넣고 바짝 끓여서 양념이 배어들게 하다.
졸이다 : 속을 태우다시피 초조해하다.

썩히다 : 음식을 썩혀 거름을 만들다. / 그는 시골구석에서 재능을 썩히고 있다.
썩이다 : 여태껏 부모 속을 썩이거나 말을 거역한 적이 없었다.

▶ 썩히다 : 부패하게 하다. 물건이나 사람, 사람의 재능 따위가 쓰이지 못하고 내버려진 상태로 있게 하다.
썩이다 : 마음이 몹시 괴로운 상태가 되게 만들다.

삭히다 : 김치를 삭히다. 멸치젓을 삭히다.
삭이다 : 철수는 분을 삭이다.

▶ 삭히다 : 발효시키다.
삭이다 : 분한 마음을 가라앉히다.

그러므로[그러니까] : 그는 부지런하다. 그러므로 잘산다.
그럼으로(써)[그렇게 하는 것으로] : 그는 열심히 공부한다. 그럼으로(써) 은혜에 보답한다.

▶ 그러므로 : 앞의 내용이 뒤에 나오는 내용의 이유나 원인, 근거가 될 때 쓰인다.
그럼으로(써) : '그러다'의 명사형 '그럼'에 '으로(써)'가 결합한 것으로 '그렇게 하는 것으로(써)'라는 뜻을 나타낸다. '그러므로'에는 '써'가 결합할 수 없다는 점에서 '그럼으로(써)'와 차이가 있다.

PART 04

돋구다 : 눈이 침침한 걸 보니 안경의 도수를 돋굴 때가 되었나 보다.
돋우다 : 농무는 신명을 돋우고 있었다. .

▶ 돋구다 : 안경의 도수 따위를 더 높게 하다.
돋우다 : '돋구다'를 제외한 나머지

결제 : 그 회사는 어음을 결제하지 못해 부도 처리가 됐다.
결재 : 사장님의 결재를 받았다.

▶ 결제 : 증권이나 대금의 수수(授受)에 의해서 매매 당사자 간의 거래 관계를 끝맺음.
결재 : 상관이 부하가 제출한 안건을 검토하여 승인함.

구별 : 그 형제는 너무 닮아서 누가 동생이고 누가 형인지 구별할 수 없다.
구분 : 문학은 서정 갈래, 서사 갈래, 교술 갈래, 극 갈래로 구분할 수 있다
분류 : 서정 갈래, 서사 갈래, 교술 갈래, 극 갈래를 문학으로 분류할 수 있다.

▶ 구별 : 성질이나 종류에 따라 차이가 남. 또는 성질이나 종류에 따라 갈라놓음.
구분 : 일정한 기준에 따라 나눔.
분류 : 일정한 기준에 따라 묶음.

계발(啓發) : 교사는 학생이 잠재된 창의성을 계발하도록 해야 한다.
개발(開發) : 경치가 좋은 곳을 관광지로 개발하려고 한다.
교사는 학생이 잠재된 창의성을 개발하도록 해야 한다.
첨단 산업을 개발하고 육성하다.

▶ 계발(啓發) : 슬기나 재능, 사상 따위를 일깨워 줌.
개발(開發) :
- 토지나 천연자원 따위를 유용하게 만듦.
- 지식이나 재능 따위를 발달하게 함.
- 산업이나 경제 따위를 발전하게 함.
- 새로운 물건을 만들거나 새로운 생각을 내어놓음.

좇다 : 명예를 좇는 젊은이. 아버지의 유언을 좇다.
쫓다 : 파리를 쫓았다. 어머니는 아들을 쫓아 방에 들어갔다.

▶ 좇다 : 긍정적 대상을 추구하다.
쫓다 : 떠나도록 내몰다. 부정적인 상황에서 잡기 위해 급히 따르다.

혼동 : 자유와 방종을 혼동하였다.
혼돈 : 외래문화의 무분별한 수입은 가치관의 혼돈을 초래하였다.
혼란 : 불이 나자 선생님들은 혼란을 수습하였다.

▶ 혼동(混同) : 어떤 현상을 잘못 판단하다.
'A, B를 헷갈려 한다'로 많이 사용된다.
예 자유와 방종을 혼동하다.
▶ 혼돈(混沌) : 마구 뒤섞여 있어 갈피를 잡을 수 없음. 또는 그런 상태
혼란(混亂) : 뒤죽박죽이 되어 어지럽고 질서가 없음.

지향하다 : 평화를 지향하다.
지양하다 : 흡연을 지양해야 한다.

▶ 지향(志向)하다 : 어떤 목적으로 뜻이 쏠리어 향함.
지양(止揚)하다 : 어떤 것을 하지 않음.

–대: 영희가 그러는데 철수는 아주 똑똑하대. / 철수도 오겠대? / 대체 왜 그랬대?
–데 : 어제 시험을 봤는데 시험이 아주 어렵데.

▶ –대 : '–다고 해'가 줄어든 말. 남이 말한 내용을 간접적으로 전달함. 의문형 종결 어미
–데 : '–더라'가 줄어든 말. 화자가 직접 목격한 사실을 말함.

시작!

박혜선 국어

CHAPTER 01 문학 이론

PART

05

문학

문학 이론

1 문학 감상 방법

1. 내재적 감상 방법

(1) 구조(構造)론(= 내재론, 절대론)

작품 자체를 절대적으로 중요한 존재로 보아, 작품 안에서만 해석하는 관점이다.

예 이육사의 〈절정〉
: 시적 화자는 암울한 현실 속에서 시련을 극복하려는 강한 의지를 다지고 있다.
: 한시의 '기 – 승 – 전 – 결'의 구조와 유사한 형식을 가지고 있다.
: 역설적 표현을 통해 주제를 효과적으로 형상화하고 있다.

2. 외재적 감상 방법

(1) 반영(反映)론

작품이 당시의 시대적 배경을 어떻게 반영했는가에 초점을 두고 작품을 감상하는 방법이다. 작품과 사회(시대)와의 관계에 초점이 맞추어져 있다.

예 이육사의 〈절정〉: 일제 강점기의 현실적 한계 상황을 극복하는 모습이 나타나 있다.

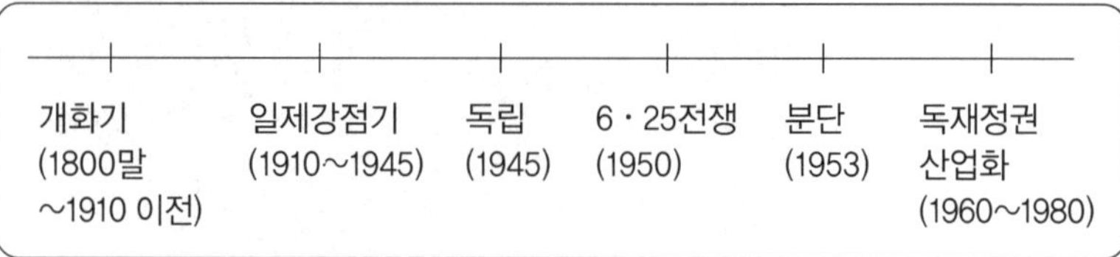

(2) 표현(表現)론

작품에 작가의 생애, 가치관, 문학의 경향 등이 어떻게 드러나는가에 초점을 두고 작품을 감상하는 방법이다. 작품과 작가의 관계에 초점이 맞추어져 있다.

예 이육사의 〈절정〉
: 이육사는 양반의 후손으로, 양반의 강인한 선비 정신이 시에 깃들어 있다.
: 이육사는 대표적인 저항시인으로, 강인한 남성의 어조로 독립에 대한 염원을 노래하였다.

(3) 효용(效用)론

독자가 작품을 읽고 어떻게 효율적으로 이용하는가에 초점을 두고 작품을 감상하는 방법이다.

독자는 작품을 통해 깨달음, 교훈, 즐거움, 감동 등을 얻거나 작품의 인물의 삶과 자신의 삶과 비교하거나 자신의 삶에 대한 반성(= 성찰)을 하게 된다.

예 이육사의 〈절정〉

: 나는 일제 강점기의 상황이라면 이육사처럼 일제에 저항할 수 없을 거 같았다. 힘든 상황 속에서도 소신을 잃지 않은 화자의 모습에 감동을 느꼈다.

: 부당한 현실을 수용하던 나의 모습에 대해 성찰하게 되었다.

2 표현 방식

(1) 설의법(設疑法) : 의문형으로 쓰지만 대답이 나오지 않는 표현법(독자가 알아서 답을 내야 한다)

예 사노라면 / 가슴 상하는 일 한두 가지겠는가 — 조병화, 〈나무의 철학〉

2021. 국가직 9급

(2) 문답법(問答法) : 물음과 대답을 모두 보여줌

예 이 몸이 죽어가셔 무어시 될고하니
봉래산(蓬萊山) 제일봉(第一峰)에 낙락장송(落落長松) 되어이셔
백설(白雪)이 만건곤(滿乾坤)제 독야청청(獨也靑靑) 하리라. — 성삼문

(3) 감정이입(感情移入, Empathy)

화자의 감정을 다른 대상(자연물)에 이입하는 것. 화자의 감정이 표면적으로 드러난다.

예 새가 운다.

(4) 음성 상징어

의성어와 의태어로, '멍멍', '탕탕', '아장아장', '엉금엉금' 따위가 있다.

예 한 번 굴러 힘을 주며 두 번 굴러 힘을 주니 발밑에 작은 티끌 바람 쫓아 펄펄,
앞뒤 점점 멀어 가니 머리 위의 나뭇잎은 몸을 따라 흔들흔들.
— 작자미상, 〈춘향전〉 2021. 지방직 9급

(5) 공감각(共感覺)적 심상(감각의 전이)

하나의 감각이 다른 감각으로 전이되는 것

> 예 여인은 나어린 딸아이를 때리며 가을밤같이 차게 울었다. — 백석, 〈여승〉
> → 청각의 촉각화
> 분수처럼 흩어지는 푸른 종소리 — 김광균, 〈외인촌〉
> → 청각의 시각화
> 피부의 바깥에 스미는 어둠 → 시각의 촉각화 — 김광균, 〈와사등〉

(6) 비유법

원관념을 보조 관념에 빗대어 설명하는 표현 방법. 원관념과 보조 관념 사이에 유사성이 있다.

① 직유법(直喩法) : '같이, ~처럼, ~듯이, ~양, ~듯' 등의 연결어로 원관념과 보조 관념을 직접 연결

> 예 녹음방초 우거져 금잔디 좌르르 깔린 곳에 황금 같은 꾀꼬리는 쌍쌍이 날아든다. —〈열녀 춘향 수절가〉 2021. 지방직 9급
> 선생(先生)님은 낙타(駱駝)처럼 늙으셨다. — 이한직, 〈낙타〉

② 은유법(隱喩法) : A = B이다 / A의 B / B

> 예 나는 시방 위험한 짐승이다. — 김춘수, 〈꽃을 위한 서시〉
> 님의 사랑은 뜨거워 / 근심 산을 태우고 한 바다를 말리는데
> — 한유천, 〈님의 손길〉

③ 의인법(擬人法) : 인간이 아닌 것을 인간처럼 표현함

> 예 솔아 너는 얻디 눈서리를 모르는다 — 윤선도, 〈오우가〉

(7) 대구법(對句法) : 비슷한 문장 구조를 짝지어 나열한 표현법

> 예 • 산에는 눈이 오고 들에는 찬비로다 — 임제
> • 나는 나룻배 / 당신은 행인 — 한용운, 〈나룻배와 행인〉
> • 바람보다 늦게 누워도 / 바람보다 먼저 일어나고 /
> 바람보다 늦게 울어도 / 바람보다 먼저 웃는다 — 김수영, 〈풀〉

(8) 반복법(反復法) : 같은 음운, 단어, 어절, 문장 등을 반복 ⇨ 의미 강조, 운율 형성

> 예 산산이 부서진 이름이여! 허공중에 헤어진 이름이여!

(9) **도치법(倒置法)** : 문장 성분의 순서를 바꿔 의미를 강조하는 표현법

> 예 아아, 누구인가,
> 이렇게 슬프고도 애달픈 마음을
> 맨 처음 공중에 달 줄을 안 그는, — 유치환, 〈깃발〉

(10) **주관적 변용** : 추상적인 대상을 구체적으로 표현함.

> 예 동지(冬至)ㅅ 둘 기나긴 밤을 한 허리를 버혀 내어
> 춘풍 니불아릐 서리서리 너헛다가
> 어론 님 오신 날 밤이여든 구뷔구뷔 펴리라.

(11) **대유법(代喩法)** : 일부를 통해 전체를 대표하여 비유하는 표현법

> 예 • 가노라 삼각산(三角山)아, 다시 보쟈 한강수(漢江水)야.
> → '우리나라' 를 비유함
> • 한라에서 백두까지 → '우리 국토' 를 비유함
> • 강호(江湖)에 봄이 드니 미친 흥(興)이 절로 난다. → '자연' 을 비유함

(12) **감정 절제** : 담담하게 자신의 정서를 풀어냄

(13) **반어법(反語法)** : 겉의 표현과 속의 진짜 의도가 반대인 표현법

> 예 먼 훗날 당신이 찾으시면 / 그때에 내 말이 '잊었노라'
> 당신이 속으로 나무라면 / '무척 그리다가 잊었노라'
> 그래도 당신이 나무라면 / '믿기지 않아서 잊었노라'
> 오늘도 어제도 아니 잊고 / 먼 훗날 그때에 '잊었노라'

(14) **역설법(逆說法)** : 겉의 표현은 모순이지만 그 속에 삶의 진리나 깨달음을 담고 있음. (모순 형용, 모순 어법)

> • 분분한 낙화…… / 결별이 이룩하는 축복에 싸여 / 지금은 가야 할 때
> • 찬란한 슬픔의 봄
> • 괴로웠던 사나이, 행복한 예수그리스도

(11) **영탄법(詠嘆法)** : 감탄하는 표현법(감탄사, -구나, -이여!, ~하랴!)

(12) **생략법** : 간결하고 압축적인 효과. 말줄임표를 쓰게 되면 여운이 지속된다.

> 예 그냥 갈까 / 그래도 / 다시 더 한 번…… — 김소월, 〈가는 길〉

PART 05

3 시상 전개 방식

작가가 자신의 주제를 효과적으로 전달하고자 선택한 전개 방식

1. 시간의 흐름에 따른 전개

2. 공간(시선의 이동)의 흐름에 따른 전개(대상의 단순 나열, 원경 – 근경)

예 산(山)은 / 구강산(九江山) / 보랏빛 석산(石山) //
산도화(山桃花) / 두어송이 / 송이 버는데
봄눈 녹아 흐르는 / 옥같은 / 물에 //
사슴은 / 암사슴 / 발을 / 씻는다.
– 박목월, 〈산도화〉

3. 선경후정 : 앞은 경치, 뒤는 화자의 정서

예 문 열자 선뜻! / 먼 산이 이마에 차라. //
우수절(雨水節) 들어 / 바로 초하루 아침. / 새삼스레 눈이 덮인 멧부리와 /
서늘옵고 빛난 이마받이하다. //
얼음 금가고 바람 새로 따르거니 / 흰 옷고름 절로 향기로워라. //
옹숭거리고 살아난 양이 / 아아 꿈 같기에 설워라. //
미나리 파릇한 새순 돋고 / 옴짓 아니 기던 고기 입이 오물거리는, //
꽃피기 전 철 아닌 눈에 / 핫옷 벗고 도로 춥고 싶어라. //
– 정지용, 〈춘설〉

4. 기승전결 : 기(시상 시작) / 승(정서 고조) / 전(시상 전환) / 결(주제)

예 매운 계절(季節)의 채찍에 갈겨 / 마침내 북방(北方)으로 휩쓸려 오다. //
하늘도 그만 지쳐 끝난 고원(高原) / 서릿발 칼날진 그 위에 서다. //
어데다 무릎을 꿇어야 하나 / 한 발 재겨 디딜 곳조차 없다. //
이러매 눈 감아 생각해 볼밖에 / 겨울은 강철로 된 무지갠가 보다. //
– 이육사, 〈절정〉

5. 수미상관 : 첫 부분과 끝 부분이 서로 비슷하게 반복되는 구조

예 하늘은 날더러 구름이 되라 하고 / 땅은 날더러 바람이 되라 하네. /
청룡 흑룡 흩어져 / 비 개인 나루 / 잡초나 일깨우는 잔바람이 되라네 /
뱃길이라 서울 사흘 목계 나루에 /
아흐레 나흘 / 찾아 박가분 파는 / 가을볕도 서러운 방물장수 되라네 /
산은 날더러 들꽃이 되라 하고 /
강은 날더러 잔돌이 되라 하네. / 산서리 맵차거든 풀 속에 얼굴 묻고 /
물여울 모질거든 바위 뒤에 붙으라네 /
민물 새우 끓어 넘는 토방 툇마루 / 석삼년에 한 이레쯤 천치로 변해 / 짐 부리고 앉아 쉬는
떠돌이가 되라네/
하늘은 날더러 바람이 되라 하고 / 산은 날더러 잔돌이 되라 하네.
— 신경림, 〈목계장터〉

4 시의 운율

1. 비슷한 시어, 비슷한 시구의 반복

예 산에는 꽃 피네 / 꽃이 피네
갈 봄 여름 없이 / 꽃이 피네 — 김소월, 〈산유화(山有花)〉

2. 유사한 통사 구조의 반복

예 모란이 피기까지는
나는 아직 나의 봄을 기다리고 있을 테요
모란이 뚝뚝 떨어져 버린 날
나는 비로소 봄을 여읜 설움에 잠길 테요
— 김영랑, 〈모란이 피기까지는〉

3. 음성 상징어의 사용

예 접동 / 접동 // 아우래비 접동 — 김소월, 〈접동새〉

5 독백체 vs 대화체

어조란 시적 자아에 의해 나타나는 목소리의 특징으로, 시인이 독자를 대함에 있어서 취하는 태도를 말한다. 어조는 분위기를 조성하고, 주제를 강조하는 기능을 하는데 어조의 유형은 다음과 같이 나누어 볼 수 있다.

독백적 어조	혼잣말하는 듯한 말투 예 산모퉁이를 돌아 논가 외딴 우물을 홀로 찾아가선 가만히 들여다 봅니다. 우물 속에는 달이 밝고 구름이 흐르고 하늘이 펼치고 파아란 바람이 불고 가을이 있습니다. – 윤동주, 〈자화상〉 中
대화적 어조	남과 대화하는 말투. 명령문, 청유문, 청자 설정으로 판단할 수 있다. 예 어머니 부디 잊지 마셔요 그때 우리는 어린 양을 몰고 돌아옵시다. 어머니 당신은 그 먼 나라를 알으십니까? – 신석정, 〈어머니 그 먼 나라를 알으십니까〉 中

6 낯선 현대 시를 파악하는 방법

1. 제목 파악하기

(1) **시적 ________**

예 신동엽, 〈봄은〉

(2) **시의 ________**

① ________

예 정지용, 〈춘설(春雪)〉, 오민석, 〈아침 시〉, 김광균, 〈추일서정〉

② ________

예 오장환, 〈고향 앞에서〉, 윤동주, 〈길〉

(3) **시의 ________**

예 서정주, 〈추천(鞦韆)사〉. 정희성, 〈저문 강에 삽을 씻고〉

(4) **화자의 ________**

예 이용악, 〈그리움〉

(5) **시적 ________, ________**

예 서정주, 〈견우의 노래〉, 서정주, 〈춘향유문〉, 기형도, 〈엄마 걱정〉

2. 작가 파악하기

(1) **순수 문학**

(2) **현실 문학**

3. 시 파악의 최고 중요한 KEY

→ 빈출 시어의 ________ 의미 파악하기
(단, 가장 중요한 것은 문맥적 의미를 파악하는 것!
즉, 시어 주변의 ________어, ________어를 먼저 파악하는 것!)
비슷한 ________ 구조의 비슷한 ________에 있는 시어들의 의미는 비슷할 확률이 높다.

(1) **눈, 비, 바람, 서리** = ________, ________

(2) **봄, 아침, 빛** = ________, ________
겨울, 밤, 어둠 = ________, ________

(3) **하늘, 바다, 별, 청산** = ________

(4) **산, 고개** = ________, ________

(5) **꽃** = ________ 영화, ________
풀 = ________을 지닌 ________

(6) **하강적 이미지** = ________, ________의 이미지
상승적 이미지 = ________의 이미지

7 낯선 고전 시를 파악하는 방법

1. 읽을 줄 알아야 의미 파악이 가능하다.

기본: 소리 나는 대로 읽기 (표음주의)

출·종·표

① ·(아래 아) = 첫째 음절 ________
둘째 음절 ________, ________, ________
예 ᄆᆞᄉᆞᄆᆞᆯ = ________

② ·ㅣ = ________
예 ᄂᆡ ᄆᆞᄋᆞᆷ 둘 ᄃᆡ 업서 = ________

③ 어두 자음군
예 ᄢᅳᆯ = ________, ᄯᅮᆷ = ________, ᄯᅩ = ________

④ ㅿ = ________, ________
예 ᄀᆞᅀᅳᆯ = ________

⑤ 두음법칙 적용해서 읽기
예 니르다 = ________, 녀기다 = ________
녯 물 = ________ 물

⑥ 이중 모음은 단모음으로 읽기
예 홀로 셔 이셔 = 홀로 ________
어제 = 어________

⑦ 구개음화 적용해서 읽기
예 것츠로 눈믈 디고 = 겉으로 눈물 ________고

2. 한자 시험이 아니니, 아는 것만 대입하자.

출·종·표

예 탁료 계변(濁醪溪邊)에 금린어(錦鱗魚)ㅣ 안주로다.
= ________

3. 알아 놓으면 꿀인 관습적 상징물

출·좋·포

① 해, 달, 별 = ______
햇빛, 달빛, 별빛 = ______의 ______

② 구름 = ______
석양 = ______의 ______

③ 매란국죽송, 난초, 잣나무 = ______와 ______

④ 백구(갈매기) = ______
도화(도연명의 고사) = ______, ______

⑤ 접동새 = 자규 = 귀촉도 = 소쩍새 = 두견 : ______

⑥ 실솔(蟋蟀 귀뚜라미) = ______

4. 꼭 알아야 하는 고전 필수 어휘

(1) 용언

출·좋·포

① 하다 = ______, ______ / ᄒᆞ다 = ______
둏다 = ______ / 됴다 = ______

② 괴다 = ______ 얼다 = ______
여히다 = ______

③ 이시다 = ______

④ 녀다 = ______, ______, ______

⑤ 혀다 = ______

⑥ 니르다 = ______(= ______)

⑦ 머흘다 = ______

⑧ 헌ᄉᆞ하다 = ______

⑨ 삼기다 = ______, 믱ᄀᆞᆯ다 = ______

⑩ 다호라 = ______

⑪ 디다 = ______

⑫ 긋다/긋치다 = ______

⑬ 버히다 = ______

⑭ 어리다 = ____________

⑮ 슬허하다 = ____________ 슳다(슬ᄒᆞ다) = ____________

⑯ 외다 = ____________

⑰ 새오다 = ____________

⑱ ᄡᅴ우다 = ____________

⑲ 늣기다 = ____________
ᄉᆡ어디다 = ____________

⑳ 무심하다 = ____________

㉑ 恨하다 = ____________

㉒ 혜다 = ____________

(2) 명사

출·종·포

① 홍진(紅塵), 인간 = ____________

② ᄃᆡ = ____________
제 = ____________

③ 즘 = ____________

(3) 부사

출·종·포

① ᄒᆞ마 = ____________, 고텨 = ____________

② 져근덧 = ____________

(4) 의문사

출·종·포

① 언제, 어느ᄢᅴ = ____________

② 어듸, 어듸메, 어디 = ____________

③ 므슥, 므슴, 므스것 = ____________

④ 현마, 몇 = ____________

⑤ 엇뎨, 엇더 = ____________

⑥ 어느/어ᄂᆞ = ____________

⑸ 조사 어미

출·종·포

① -ㄹ셰라 = ____________________

② ~손ᄃᆡ/~다려 = ____________________

③ ~도곤/~라와/~에 = ____________________

④ 다히 = ____________________

⑤ ~관ᄃᆡ = ____________________

⑥ -ㄹ시 = ____________________

⑦ -쟈스라 = ______________ / -고져 = ____________________

대표 赤功 기출

01 다음 글을 감상한 내용으로 적절하지 않은 것은? 2023 국가직 9급

막바지 뙤약볕 속
한창 매미 울음은
한여름 무더위를 그 절정까지 올려놓고는
이렇게 다시 조용할 수 있는가.
지금은 아무 기척도 없이
정적의 소리인 듯 쟁쟁쟁
천지(天地)가 하는 별의별
희한한 그늘의 소리에
멍청히 빨려 들게 하구나.

사랑도 어쩌면
그와 같은 것인가.
소나기처럼 숨이 차게
정수리부터 목물로 들이붓더니
얼마 후에는
그것이 아무 일도 없었던 양
맑은 구름만 눈이 부시게
하늘 위에 펼치기만 하노니.

— 박재삼, 〈매미 울음 끝에〉

① 갑작스럽게 변화한 자연 현상을 감각적으로 제시하고 있다.
② 청각적 이미지와 시각적 이미지를 활용하여 시상을 전개하고 있다.
③ 소나기가 그치고 맑은 구름이 펼쳐진 것을 통해 사랑의 속성을 드러내고 있다.
④ 매미 울음소리가 절정에 이르렀다가 사라진 직후의 상황을 반어법으로 표현하고 있다.

01
'정적의 소리인 듯 쟁쟁쟁'은 고요함을 역설적으로 표현한 것이다.

오답풀이 ① 무더위가 지나고 매미 소리가 잦아든 상황을 '정적의 소리인 듯 쟁쟁쟁'을 통해 청각적으로 제시하였다.
② '매미 울음', '쟁쟁쟁', '맑은 구름만 눈이 부시게' 등 청각적 이미지와 시각적 이미지를 활용하여 시상을 전개하였다.
③ 소나기와 맑은 구름을 통해서 열정적 사랑이 끝난 후 성숙해진 사랑의 모습을 표현하고 있다.

정답 ④

정리

- 요약: 성숙해지는 사랑에 대한 깨달음을 매미 소리에 빗대어 표현함
- 갈래: 자유시, 서정시
- 성격: 사색적
- 제재: 매미 울음소리
- 주제: 사랑에 대한 깨달음
- 특징
  ① 매미 울음소리와 사랑의 공통된 속성을 활용하여 시상을 전개함
  ② 계절의 변화를 이용하여 사랑에 대한 깨달음을 표현함
  ③ 역설적 표현과 다양한 감각적 이미지를 활용함

대표 亦功 기출

02 다음 시에 대한 이해로 적절하지 않은 것은? 2022 국가직 9급

봄은
남해에서도 북녘에서도
오지 않는다.

너그럽고
빛나는
봄의 그 눈짓은,
제주에서 두만까지
우리가 디딘
아름다운 논밭에서 움튼다.

겨울은,
바다와 대륙 밖에서
그 매운 눈보라 몰고 왔지만
이제 올
너그러운 봄은, 삼천리 마을마다
우리들 가슴속에서
움트리라.

움터서,
강산을 덮은 그 미움의 쇠붙이들
눈 녹이듯 흐물흐물
녹여버리겠지.

— 신동엽, 〈봄은〉

① 현실을 초월한 순수 자연의 세계를 노래하고 있다.
② 희망과 신념을 드러내는 단정적 어조로 표현하고 있다.
③ 시어들의 상징적인 의미를 통해 주제를 형성하고 있다.
④ '봄'과 '겨울'의 이원적 대립으로 시상을 전개하고 있다.

02
'신동엽, 김수영'은 1960년대 부조리한 현실을 비판하고 이에 저항한 참여시인들이다. 참여시는 '순수 자연의 세계'와는 배치되는 개념이다. 이 시에서 남북이 통일되는 이상향을 상징하는 '봄'은 정치와 관련된 주제를 다루고 있으므로 '현실을 초월한 순수 자연의 세계'를 노래한다고 볼 수 없다.

오답풀이 ② '봄의 그 눈짓은, / 제주에서 두만까지 / 우리가 디딘: 아름다운 논밭에서 움튼다.'를 보면 봄(통일)이 우리 영토에 올 것이라는 희망과 신념을 현재 시제 선어말 어미 '-ㄴ-'을 통해 단정적으로 표현하고 있다.
③ '봄'은 통일, '겨울'은 '분단 현실'을 상징하면서 '분단 현실'이 끝나고 통일이 오기를 염원하는 주제를 보여주므로 이 선지는 옳다.
④ '봄'은 통일, '겨울'은 '분단 현실'을 상징하므로 이원적 대립으로 시상을 전개하고 있음을 알 수 있다. '이원적 대립'은 '대립, 대비'로 받아들이면 된다.

정답 ①

정리

- 갈래: 참여시
- 성격: 저항적, 참여적, 의지적
- 제재: 겨울과 봄(분단과 통일)
- 주제: 분단 현실을 주체적으로 극복하고자 하는 의지, 자주적인 통일에 대한 염원
- 특징
  ① '봄'과 '겨울'의 대조로 시상을 전개함.
  ② 통일에 대한 의지를 단정적 어조로 강조함.
  ③ 의인법, 대조법, 상징법, 대유법 등을 사용함.

대표 赤功 기출

03 ㉠을 이해한 내용으로 적절하지 않은 것은? 2023 국가직 9급

"㉠ 무진(霧津)엔 명산물이 …… 뭐 별로 없지요?" 그들은 대화를 계속하고 있었다. "별게 없지요. 그러면서도 그렇게 많은 사람들이 살고 있다는 건 좀 이상스럽거든요." "바다가 가까이 있으니 항구로 발전할 수도 있었을 텐데요?" "가 보시면 아시겠지만 그럴 조건이 되어 있는 것도 아닙니다. 수심(水深)이 얕은 데다가 그런 얕은 바다를 몇백 리나 밖으로 나가야만 비로소 수평선이 보이는 진짜 바다다운 바다가 나오는 곳이니까요." "그럼 역시 농촌이군요?" "그렇지만 이렇다 할 평야가 있는 것도 아닙니다." "그럼 그 오륙만이 되는 인구가 어떻게들 살아가나요?" "그러니까 그럭저럭이란 말이 있는 게 아닙니까!" 그들은 점잖게 소리 내어 웃었다. "원, 아무리 그렇지만 한 고장에 명산물 하나쯤은 있어야지." 웃음 끝에 한 사람이 말하고 있었다.

무진에 명산물이 없는 게 아니다. 나는 그것이 무엇인지 알고 있다. 그것은 안개다. 아침에 잠자리에서 일어나서 밖으로 나오면, 밤사이에 진주해 온 적군들처럼 안개가 무진을 빙 둘러싸고 있는 것이었다. 무진을 둘러싸고 있는 산들도 안개에 의하여 보이지 않는 먼 곳으로 유배당해 버리고 없었다.

– 김승옥, 〈무진기행〉에서

① 수심이 얕아서 항구로 개발하기 어려운 공간이다.
② 산으로 둘러싸여 있고 평야가 발달하지 않은 공간이다.
③ 지역의 경제적 여건에 비해 인구가 적지 않은 공간이다.
④ 누구나 인정할 만한 지역의 명산물로 안개가 유명한 공간이다.

03
무진의 명산물인 안개는 서술자의 생각일 뿐이다. 오히려 다른 사람들은 별다른 명산물이 없다고 말하고 있다.

오답풀이 ① 수심이 얕고, 몇백 리나 나가야 진짜 바다다운 바다가 나오는 곳이라는 서술을 통해 알 수 있다.
② 이렇다 할 평야가 있는 것도 아니며, 무진을 산들이 둘러싸고 있다는 서술을 통해 알 수 있다.
③ 무진에는 별게 없으면서도 그렇게 많은 사람들이 살고 있는 것이 이상하다는 대화를 통해 알 수 있다.

정답 ④

정리

- 요약: '나'는 고향인 무진에서 2박 3일을 보내며 내면의 허무를 직면하고 서울로 돌아와 현실에의 적응을 선택한다.
- 갈래: 현대소설, 단편소설, 귀향소설
- 배경: 공간 – 무진, 서울
  시대 – 1960년대
- 성격: 서정적, 몽환적
- 시점: 1인칭 주인공 시점
- 특징
  ① 감각적이고 섬세한 언어를 구사함
  ② 자연물을 통한 인물 내면 묘사가 돋보임
  ③ 1960년대의 허무와 회의적 인식을 서울–무진–서울의 순환 구조로 드러냄

04 다음 글에 대한 이해로 적절하지 않은 것은? 2022 국가직 9급

정거장에 나온 박은 수염도 깎은 지 오래어 터부룩한 데다 버릇처럼 자주 찡그려지는 비웃는 웃음은 전에 못 보던 표정이었다. 그 다니는 학교에서만 지싯지싯* 붙어 있는 것이 아니라 이 시대 전체에서 긴치 않게 여기는, 지싯지싯 붙어 있는 존재 같았다. 현은 박의 그런 지싯지싯함에서 선뜻 자기를 느끼고 또 자기의 작품들을 느끼고 그만 더 울고 싶게 괴로워졌다.

한참이나 붙들고 섰던 손목을 놓고, 그들은 우선 대합실로 들어왔다. 할 말은 많은 듯하면서도 지껄여 보고 싶은 말은 골라낼 수가 없었다. 이내 다시 일어나 현은,

"나 좀 혼자 걸어 보구 싶네."

하였다. 그래서 박은 저녁에 김을 만나 가지고 대동강가에 있는 동일관이란 요정으로 나오기로 하고 현만이 모란봉으로 온 것이다.

오면서 자동차에서 시가도 가끔 내다보았다. 전에 본 기억이 없는 새 빌딩들이 꽤 많이 늘어섰다. 그중에 한 가지 인상이 깊은 것은 어느 큰 거리 한 뿌다귀*에 벽돌 공장도 아닐 테요 감옥도 아닐 터인데 시뻘건 벽돌만으로, 무슨 큰 분묘와 같이 된 건축이 웅크리고 있는 것이다. 현은 운전사에게 물어보니, 경찰서라고 했다.

— 이태준, 〈패강랭〉에서

* 지싯지싯: 남이 싫어하는지는 아랑곳하지 아니하고 제가 좋아하는 것만 짓궂게 자꾸 요구하는 모양
* 뿌다귀: '뿌다구니'의 준말로, 쑥 내밀어 구부러지거나 꺾어져 돌아간 자리

① '현'은 예전과 달라진 '박'의 태도가 자신의 작품 때문이라고 생각하고 있다.
② '현'은 자신과 비슷한 처지에 있는 '박'을 통해 자신을 연민하고 있다.
③ '현'은 새 빌딩들을 보고 도시가 많이 변화하고 있음을 인지하고 있다.
④ '현'은 시뻘건 벽돌로 만든 경찰서를 보고 암울한 분위기를 느끼고 있다.

• 줄거리

'현'은 십여 년 만에 평양에 왔다. 그는 대동강의 풍경을 보며 지난 일을 되돌이킨다. '현'은 '박'의 편지를 받고 평양에 오게 되었다. 하지만 평양은 너무 달라져 있었고 현이 좋아했던 여인들의 전통의 머릿수건도 사라져 있어 현은 서러워했다. '현'은 동일관이라는 기생집에서 '박', '김'과 만나며, 오래전 인연이 있던 기생 '영월'도 만나게 된다. 술을 먹다가 머릿수건에 대한 의견차이로 '현'과 '김'은 갈등을 겪는다. '박'은 '영월'의 노래(전통)를 눈물을 글썽이며 따라 부른다. 하지만 '김'은 서양 댄스를 추고, '현'은 '김'을 마음에 들어 하지 않아한다. '김'은 실속을 차리라고 '현'에게 충고하며 '현'은 컵을 던지며 화를 낸다. '현'은 자리에서 나와 강가로 내려와 '생각에 잠긴다.

04

'버릇처럼 자꾸 찡그려지는 비웃는 웃음은 전에 못 보던 표정이었다'를 보면 '현'은 '박'을 보고 예전과 달라졌다고 생각할 수 있음을 알 수 있다. 하지만 이것이 자신의 작품 때문이라고 생각한 부분은 발견되지 않는다.

오답풀이 ② 1문단의 '현은 박의 그런 지싯지싯함에서 선뜻 자기를 느끼고 또 자기의 작품들을 느끼고 그만 더 울고 싶게 괴로워졌다.'와 2문단의 '한참이나 붙들고 섰던 손목'을 통해, 이 선지는 옳음을 알 수 있다. 시대에 어울리지 못하는 '박'의 모습에서 자신을 느끼면서 동병상련을 느끼는 것이다.
③ '전에 본 기억이 없는 새 빌딩들이 꽤 많이 늘어섰다'를 보면 이 선지가 옳음을 알 수 있다.
④ '어느 큰 거리 한 뿌다귀에 벽돌 공장도 아닐 테요 감옥도 아닐 터인데 시뻘건 벽돌만으로, 무슨 큰 분묘와 같이 된 건축이 웅크리고 있는 것이다'를 통해 이 선지가 옳음을 알 수 있다. 경찰서를 '분묘(무덤)'가 웅크리고 있는 것 같다고 하기 때문이다.

정답 ①

정리

• 갈래: 단편 소설, 현대 소설
• 성격: 현실 비판적
• 배경
  ① 시간: 일제 강점기
  ② 공간: 평양
• 시점: 전지적 작가 시점
• 주제: 전통을 말살하는 일제 강점기에 사는 지식인으로서 느끼는 슬픔
• 출전: 《삼천리문학》(1938)

대표 赤功 기출

05 다음 글을 감상한 내용으로 가장 적절한 것은? 2023 국가직 9급

> 어이 못 오던가 무슴 일로 못 오던가
> 너 오는 길 위에 무쇠로 셩(城)을 쏘고 셩안에 담 쏘고 담 안에란 집을 짓고 집 안에란 뒤주 노코 뒤주 안에 궤를 노코 궤 안에 너를 결박(結縛)ᄒᆞ여 너코 쌍(雙)비목 외걸쇠에 용(龍)거북 ᄌᆞ물쇠로 수기수기 줌갓더냐 네 어이 그리 아니 오던가
> ᄒᆞᆫ ᄃᆞᆯ이 셜흔 날이여니 날 보라 올 하루 업스랴
>
> – 작자 미상, 〈어이 못 오던가〉

① 동일 구절을 반복하여 '너'에 대한 섭섭한 감정을 표출하고 있다.
② 날짜 수를 대조하여 헤어진 기간이 길다는 것을 강조하고 있다.
③ 동일한 어휘를 연쇄적으로 나열하여 감정의 기복을 표현하고 있다.
④ 단계적으로 공간을 축소하여 '너'를 만날 수 있다는 희망을 표현하고 있다.

05
'못 오던가'를 반복하여 '너'에 대한 섭섭함을 표출하고 있다.

오답풀이 ② 'ᄒᆞᆫ ᄃᆞᆯ'과 '셜흔 날'은 같은 표현이다. 따라서 대조가 아니며, 하루도 시간을 내어 오지 못하는 임을 원망하는 표현이다.
③ '성-담-집-뒤주-궤'로 이어지는 연쇄적 구성이지만 동일한 어휘라 볼 수 없으며, 화자는 임에 대한 그리움과 원망을 드러낼 뿐, 감정의 기복 역시 나타나지 않는다.
④ '성-담-집-뒤주-궤'로 단계적으로 공간이 축소되고 있지만 화자가 드러내는 감정은 원망과 그리움뿐이다.

정답 ①

정리

- 요약: 오지 않는 임에 대한 그리움을 나열과 과장을 통해 해학적으로 표현하고 있다.
- 갈래: 사설 시조
- 성격: 해학적
- 제재: 임
- 주제: 임을 기다리는 마음
- 특징
  ① 중장에서 나열 점강법을 통해 오지 않는 임에 대한 원망을 부각함
  ② 연쇄, 반복 등을 통해 리듬감을 형성함
  ③ 해학과 과장을 통해 임을 기다리는 마음을 표현함

06 (가)~(라)의 ㉠~㉣에 대한 설명으로 적절하지 않은 것은? 2022 국가직 9급

(가) 간밤의 부던 ᄇᆞ람에 눈서리 치단 말가
㉠ 낙락장송(落落長松)이 다 기우러 가노ᄆᆡ라
ᄒᆞ믈며 못다 픤 곳이야 닐러 무슴 ᄒᆞ리오.

(나) 철령 노픈 봉에 쉬여 넘ᄂᆞᆫ 져 구룸아
고신원루(孤臣寃淚)ᄅᆞᆯ 비 사마 ᄯᅴ여다가
㉡ 님 계신 구중심처(九重深處)에 ᄲᅮ려 본들 엇더리.

(다) 이화우(梨花雨) ᄒᆞᆺᄲᅮ릴 제 울며 잡고 이별ᄒᆞᆫ 님
추풍낙엽(秋風落葉)에 ㉢ 저도 날 ᄉᆡᆼ각ᄂᆞᆫ가
천리(千里)에 외로온 ᄭᅮᆷ만 오락가락 ᄒᆞ노매.

(라) 삼동(三冬)의 뵈옷 닙고 암혈(巖穴)의 눈비 마자
구름 ᄭᅵᆫ 볏뉘도 ᄶᅬᆫ 적이 업건마ᄂᆞᆫ
서산의 ㉣ ᄒᆡ 디다 ᄒᆞ니 그ᄅᆞᆯ 셜워 ᄒᆞ노라.

① ㉠은 억울하게 해를 입은 충신을 가리킨다.
② ㉡은 궁궐에 계신 임금을 가리킨다.
③ ㉢은 헤어진 연인을 가리킨다.
④ ㉣은 오랜 세월을 함께한 벗을 가리킨다.

현대어 풀이

(가) 지난밤 불던 바람 눈서리를 몰아치게 했단 말인가?
정정하게 큰 소나무들(= 고려 충신) 다 쓰러져 가는구나.
더군다나 아직 피지 못한 꽃들은 말해 무엇하겠느냐.
(나) 철령 높은 봉우리에 겨우 쉬었다 넘는 저 구름아!
임금의 총애 잃고 귀양길 오르는 외로운 신하의 서러움 맺힌 눈물을 비를 대신하여 띄워 가지고 가서,
임금 계신 깊은 대궐 안으로 뿌리는 것 어떠하겠는가?
(다) 배꽃 흩날리던 때 울고 불며 헤어진 임
가을 바람 낙엽 지는 이 때에 역시 날 생각해 주실까?
천 리 길 머나먼 곳 외로운 꿈이 오락가락 하는구나.
(라) 한겨울 베옷 입고, 바위굴에서 눈비 맞고 있으며
구름 사이 비치는 햇살도 쬔 적 없지만
서산에 해가 졌다(= 임금이 승하하였다)는 소식 들으니 눈물 나는구나.

PART 05

06
'㉣ ᄒᆡ(해)'는 보통 하늘에 있으므로 '임금'을 상징하는 경우가 있다. 이 시조의 화자는 겨울에 베옷을 입고 굴에서 눈비를 맞는, 즉 자연에서 생활을 하고 있음을 알 수 있다. 구름 낀 햇볕도 쬐지 못했다는 것은 임금이 주는 조그마한 녹봉조차도 받지 못하였음(벼슬을 갖지 못하였음)을 보여준다. 따라서 '㉣ ᄒᆡ(해)'는 오랜 세월을 함께한 벗을 가리킨다고 볼 수 없다.

오답풀이 ① '낙락장송(落落長松)'의 '송(松)'을 보면 소나무를 의미함을 알 수 있다. '소나무'를 통해 '충신'을 상징함을 알 수 있다. 초장에서 시련을 의미하는 '바람, 눈서리'가 치는 부정적인 상황을 보여주므로 ㉠은 억울하게 해를 입은 충신을 가리킨다고 볼 수 있다.
② '고신원루(孤臣寃淚)'는 '외로운 신하의 원통한 눈물'을 의미하므로 이 시조는 임금에 대한 충성심을 드러냄을 알 수 있다. 따라서 '㉡ 님'은 단순히 연인을 가리킨다고 보기보다는 궁궐에 계신 임금을 가리킨다고 볼 수 있다. 구름에게 자신의 눈물을 비 삼아 띄워서 임금이 계신 곳에 뿌려달라고 하고 있다.
③ 초장을 보면 '이화우(梨花雨) ᄒᆞᆺᄲᅮ릴 제 울며 잡고 이별ᄒᆞᆫ 님'이라고 되어 있으므로 화자는 이별한 상황임을 알 수 있다. 떨어지는 낙엽에 헤어진 연인도 자신을 생각할까 생각하는 것이므로 '㉢ 저'는 헤어진 연인을 가리킨다고 볼 수 있다.

정답 ④

정리

(가) 유응부, 〈간밤의 부던 ᄇᆞ람에 ~〉

- 주제: 세조 일파의 횡포에 대한 탄식과 걱정
- 시적 상황: 계유정난으로 나라가 위태롭고 인재들이 목숨을 잃는 상황
- 정서와 태도: 인재들의 희생을 탄식하고 걱정함.
- 특징
  ① '눈서리, 낙락장송, 못다 핀 꽃'과 같은 자연물에 의미를 함축시켜 우회적으로 주제를 제시함.
  눈서리 = 세조 일파의 횡포, 계유정난으로 인한 시련
  낙락장송 = 단종의 충신
  못다 핀 꽃 = 단종에게 충성할 젊은 선비들
  ② 과거 – 현재 – 미래의 시간 흐름에 따라 시상을 전개함.

(나) 이항복, 〈철령(鐵嶺) 높은 봉(峰)에 ~〉

- 주제: 임금을 향한 변함없는 충성심
- 시적 상황: 폐모론을 반대함으로 인하여 함경도 북청으로 유배가는 상황
- 정서와 태도: 유배 가는 것이 원망스럽고 슬프며 분함.
- 특징
  ① 화자가 지닌 고단하고 어려운 마음을 구름에 투영함.
  ② 구름의 이동성을 이용해 화자와 임금을 연결시킴.
  ③ '고신원루(孤臣冤淚)'는 '임금을 떠나간 신하의 한이 맺힌 눈물'이라는 뜻으로 유배가는 분통과 억울의 마음을 호소하면서도 임금에 대한 사모의 마음 역시 드러냄.
- 문학사적 의의: 광해군 시대에 인목대비 폐위시키는 것에 반대하다가 함경도 북청에 유배를 가면서 지은 시임.

(다) 계랑, 〈이화우(梨花雨) 훗뿌릴 제 ~〉

- 주제: 이별의 정한과 임에 대한 그리움
- 시적 상황: 이별 후 떠난 임을 그리워함.
- 정서와 태도: 임을 그리워하며 다시 만날 것을 소망함.
- 특징
  ① '이화우'는 봄을, '추풍낙엽'은 가을을 보여주므로 초장과 중장에서 임과 시간적, 공간적 거리를 제시하며 화자의 그리움을 심화시킴.
  ② 하강의 이미지를 통해 이별의 상황을 강조함.
  ③ 이별의 정한을 표현하고자 은유법을 사용함.('외로운 쑴' = 임에 대한 그리움)

(라) 조식, 〈삼동(三冬)의 뵈옷 닙고 ~〉

- 주제: 임금(중종)의 승하에 대한 슬픔과 안타까움.
- 시적 상황: 임금(중종)이 승하했다는 이야기를 들음.
- 정서와 태도: 임금(중종)의 승하를 슬퍼하고 안타까워함.
- 특징
  ① 격조 높은 표현으로 군신유의(君臣有義)를 드러냄.
  ② 화자의 처지, 시적 상황을 드러내려고 비유와 상징을 사용함.
  ③ 초장의 '뵈옷'과 '암혈(巖穴)'은 화자가 어떤 벼슬도 하지 않음을 나타낸 표현임. 임금의 은총을 받지 않았어도 임금의 승하를 슬퍼하는 모습은 화자의 충정심을 알게 함.
- 문학사적 의의: 임금(중종)이 승하했다는 소식에 슬퍼하며 지은 연군가(戀君歌)임.

07 다음 글에 대한 이해로 적절하지 않은 것은? 2022 국가직 9급

승상이 말을 마치기도 전에 구름이 걷히더니 노승은 간 곳이 없고 좌우를 돌아보니 팔낭자도 간 곳이 없었다. 승상이 놀라 어찌할 바를 모르는 중에 높은 대와 많은 집들이 한순간에 사라지고 자기의 몸은 작은 암자의 포단 위에 앉아 있었는데, 향로의 불은 이미 꺼져 있었고 지는 달이 창가에 비치고 있었다.

자신의 몸을 보니 백팔염주가 걸려 있고 머리를 손으로 만져보니 갓 깎은 머리털이 까칠까칠하더라. 완연한 소화상의 몸이요, 전혀 대승상의 위의가 아니었으니, 이에 제 몸이 인간 세상의 승상 양소유가 아니라 연화도량의 행자 성진임을 비로소 깨달았다.

그리고 생각하기를, '처음에 스승에게 책망을 듣고 풍도옥으로 가서 인간 세상에 환도하여 양가의 아들이 되었지. 그리고 장원급제를 하여 한림학사가 된 후 출장입상하고 공명신퇴하여 두 공주와 여섯 낭자로 더불어 즐기던 것이 다 하룻밤 꿈이었구나. 이는 필시 사부가 나의 생각이 그릇됨을 알고 나로 하여금 이런 꿈을 꾸게 하시어 인간 부귀와 남녀 정욕이 다 허무한 일임을 알게 하신 것이로다.'

— 김만중, 〈구운몽〉에서

① '양소유'는 장원급제를 하여 한림학사가 되었다.
② '양소유'는 인간 세상에 환멸을 느껴 스스로 '성진'의 모습으로 되돌아왔다.
③ '성진'이 있는 곳은 인간 세상이 아니다.
④ '성진'은 자신의 외양을 통해 꿈에서 돌아왔음을 인식한다.

07
1문단에서 승상은 영문도 모르는 채 주변 환경이 바뀌는 것을 보다가 2문단에서 성진으로 바뀌었다. 따라서 이는 승상인 '양소유'가 '성진'의 모습으로 스스로 되돌아온 것이라고 볼 수 없다. 또 양소유가 인간 세상에 환멸을 느꼈다는 것도 확인할 수 없다. 마지막 문단에서 '인간 부귀와 남녀 정욕이 다 허무한 일임을 알게 하신 것이로다.'라는 깨달음은 '성진'이 양소유에서 벗어난 이후에 느낀 것이므로 양소유가 인간 세상에 환멸을 느꼈다고는 볼 수 없다.

오답풀이 ① 성진이 자신이 양소유였을 때의 삶을 생각했을 때 '그리고 장원급제를 하여 한림학사가 된 후'라고 말했으므로 이 선택지는 옳다.
③ '처음에 스승에게 책망을 듣고 풍도옥으로 가서 인간 세상에 환도하여 양가의 아들이 되었지.'를 통해 '양소유'로 살았을 때에는 인간세상에 있었지만 지금은 아님을 알 수 있다.
④ '자신의 몸을 보니 백팔염주가 걸려 있고 머리를 손으로 만져보니 갓 깎은 머리털이 까칠까칠하더라.'를 통해 양소유에서 성진으로 바뀌면서 외양이 바뀌었음을 보여준다. 그 이후에 꿈에서 깨었음을 깨닫고 있으므로 이는 옳다.

정답 ②

PART 05

대표 赤功 기출

08 다음 ㉠과 ㉡에 대한 설명으로 가장 적절한 것은? 2022 지방직 9급

[가] ㉠ 계월이 여자 옷을 벗고 갑옷과 투구를 갖춘 후 용봉황월(龍鳳黃鉞)과 수기를 잡아 행군해 별궁에 자리를 잡았다. 그리고 군사를 시켜 보국에게 명령을 전하니 보국이 전해져 온 명령을 보고 화가 머리끝까지 났다. 그러나 보국은 예전에 계월의 위엄을 보았으므로 명령을 거역하지 못해 갑옷과 투구를 갖추고 군문에 대령했다.

이때 계월이 좌우를 돌아보며 말했다.

"보국이 어찌 이다지도 거만한가? 어서 예를 갖추어 보이라."

호령이 추상과 같으니 군졸의 대답 소리로 장안이 울릴 정도였다. 보국이 그 위엄을 보고 겁을 내어 갑옷과 투구를 끌고 몸을 굽히고 들어가니 얼굴에서 땀이 줄줄 흘러내렸다.

– 작자 미상, 〈홍계월전〉에서

[나] 장끼 고집 끝끝내 굽히지 아니하여 ㉡ 까투리 홀로 경황없이 물러서니, 장끼란 놈 거동 보소. 콩 먹으러 들어갈 제 열두 장목 펼쳐 들고 꾸벅꾸벅 고개 조아 조츰조츰 들어가서 반달 같은 혀뿌리로 들입다 꽉 찍으니, 두 고패 둥그레지며 … (중략) … 까투리 하는 말이

"저런 광경 당할 줄 몰랐던가. 남자라고 여자의 말 잘 들어도 패가하고, 계집의 말 안 들어도 망신하네."

까투리 거동 볼작시면, 상하평전 자갈밭에 자락머리 풀어 놓고 당굴당굴 뒹굴면서 가슴치고 일어앉아 잔디풀을 쥐어뜯어 애통하며, 두 발로 땅땅 구르면서 붕성지통(崩城之痛) 극진하니, 아홉 아들 열두 딸과 친구 벗님네들도 불쌍타 의논하며 조문 애곡하니 가련 공산 낙망천에 울음소리뿐이로다.

– 작자 미상, 〈장끼전〉에서

① ㉠과 ㉡은 모두 상대에 비해 우월한 지위를 가지고 있다.
② ㉠이 상대의 행동을 비판하는 반면, ㉡은 옹호하고 있다.
③ ㉠이 갈등 상황을 타개하는 데 적극적인 반면, ㉡은 소극적이다.
④ ㉠이 주변으로부터 호의적인 반응을 얻은 반면, ㉡은 적대적인 반응을 얻는다.

08
㉠은 신하로서의 예를 보이지 않는 보국에게 호령하며 갈등 상황을 적극적으로 타개하려고 한다. 하지만 ㉡은 '홀로 경황없이 물러서니'처럼 소극적으로 행동하였다.

오답풀이 ① ㉠은 상대보다 우월하지만 ㉡은 그렇지 않다.
② ㉠이 상대의 행동을 비판한다. 하지만 ㉡ 또한 장끼의 행동을 말리고 있으므로 옹호한다고 볼 수 없다.
④ ㉡은 주위의 동정을 얻고 있으므로 적대적인 반응을 얻었다고 보기 어렵다.

정답 ③

MEMO

시작!
박혜선 국어

PART 06

독해

가장 중요한 독해 팁

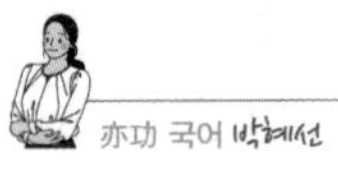

1 중심 화제 찾기

(1) ____________________, ____________

국가정보자원관리원과 ○○시는 빅데이터 기반의 맞춤형 복지 서비스 분석 사업을 수행했다. 국가정보자원관리원은 자체 확보한 공공 데이터와 ○○시로부터 받은 복지 사업 관련 데이터를 활용하여 '복지 공감 지도'를 제작하고, 복지 기관 접근성 분석을 통해 취약 지역 지원 방안을 제시했다.

2022 국가직 9급 9번

(2) __________________되는 대상

컴퓨터에는 자유의지가 있을까? 나아가 컴퓨터에 도덕적 의무를 귀속시킬 수 있을까? 컴퓨터는 다양한 전기회로로 구성되어 있고, 물리법칙, 프로그래밍 방식, 하드웨어의 속성 등에 따라 필연적으로 특정한 초기 상태로부터 다음 상태로 넘어간다. 마찬가지로 두 번째 상태에서 세 번째 상태로 이동하고, 이러한 과정이 계속해서 이어진다. 즉 컴퓨터는 결정론적 법칙의 지배를 받는 시스템이라는 것이다. 그럼 이러한 시스템에는 자유의지가 있을까?

2022 지방직 9급 20번

2 구조 파악하기

1. __________ 구조

과학의 개념은 분류 개념, 비교 개념, 정량 개념으로 구분할 수 있다. 식물학과 동물학의 종, 속, 목처럼 분명한 경계를 가지고 대상들을 분류하는 개념들이 분류 개념이다. 어린이들이 맨 처음에 배우는 단어인 '사과', '개', '나무' 같은 것 역시 분류 개념인데, 하위 개념으로 분류할수록 그 대상에 대한 정보가 더 많이 전달된다. 또한, 현실 세계에 적용 대상이 하나도 없는 분류 개념도 있을 수 있다. 예를 들어 '유니콘'이라는 개념은 '이마에 뿔이 달린 말의 일종임' 같은 분명한 정의가 있기에 '유니콘'은 분류 개념으로 인정되는 것이다.

'더 무거움', '더 짧음' 등과 같은 비교 개념은 분류 개념보다 설명에 있어서 정보 전달에 더 효과적이다. 이것은 분류 개념처럼 자연의 사실에 적용되어야 하지만, 분류 개념과 달리 논리적 관계도 반드시 성립해야 한다. 예를 들면, 대상 A의 무게가 대상 B의 무게보다 더 무겁다면, 대상 B의 무게가 대상 A의 무게보다 더 무겁다고 말할 수 없는 것처럼 '더 무거움' 같은 비교 개념은 논리적 관계를 반드시 따라야 한다.

마지막으로 정량 개념은 비교 개념으로부터 발전된 것인데, 이것은 자연의 사실로부터 파악할 수 있는 물리량을 측정함으로써 만들어진다. 물리량을 측정하기 위해서는 몇 가지 규칙이 필요한데, 그 규칙에는 두 물리량의 크기를 비교하는 경험적 규칙과 물리량의 측정 단위를 정하는 규칙 등이 포함된다. 이러한 정량 개념은 자연에 의해서 주어지는 것이 아니라 우리가 자연현상에 수를 적용하는 과정에서 생겨나는 것이다. 정량 개념은 과학의 언어를 수많은 비교 개념 대신 수를 사용할 수 있게 하여 과학 발전의 기초가 되었다.

2021 국가직 9급 20번

2. ____________구조

문화란 공동체의 구성원들이 공유하는 생각과 행동 양식의 총체라고 할 수 있다. 문화를 연구하는 사람들의 주된 관심사는 특정 생각과 행동 양식이 하나의 공동체 안에서 전파되는 기제이다.

이에 대한 견해 중 하나는 문화를 생각의 전염이라는 각도에서 바라보는 것이다. 예컨대, 리처드 도킨스는 '밈(meme)'이라는 개념을 통해 생각의 전염 과정을 설명하고자 했다. 그에 따르면 문화는 복수의 밈으로 이루어져 있는데, 유전자에 저장된 생명체의 주요 정보가 번식을 통해 복제되어 개체군 내에서 확산되듯이, 밈 역시 유전자와 마찬가지로 공동체 내에서 복제를 통해 확산된다.

그러나 문화 전파의 기제를 설명하는 이론으로는 밈 이론보다 의사소통 이론이 더 적절해 보인다. 일례로, 요크셔 지역에 내려오는 독특한 푸딩 요리법은 누군가가 푸딩 만드는 것을 지켜본 후 그것을 그대로 따라 하는 방식으로 전파되었다기보다는 요크셔 푸딩 요리법에 대한 부모와 친척, 친구들의 설명을 통해 입에서 입으로 전파되고 공유되었을 가능성이 크다.

2022 국가직 9급 20번

3. ________ · ________ 구조

반면에 일본의 어머니들은 대상의 '감정'에 특별히 신경을 써서 가르친다. 특히 자녀가 말을 안 들을 때에 그러하다. 예를 들어 "네가 밥을 안 먹으면, 고생한 농부 아저씨가 얼마나 슬프겠니?", "인형을 그렇게 던져 버리다니, 저 인형이 울잖아. 담장도 아파하잖아." 같은 말들로 꾸중하는 모습을 자주 볼 수 있다.

4. ________ 구조

과거에 예술은 고급 예술만을 의미했다. 특별한 재능을 가진 예술가의 작품을 귀족과 같은 상층 사람들이 제한된 장소에서 감상하기만 했다. 그러나 사진기와 같은 새로운 기술의 발명으로 기존의 걸작품이 복제되어 인테리어 소품이나 낭만적인 엽서로 사용되면서 대중도 예술 작품을 공유할 수 있게 되었다. 원작에 버금가는 위작이 만들어지고, 게다가 일상의 생필품처럼 사용되는 작품도 등장하게 되면서는, 대중은 더 이상 예술 작품을 수동적으로 감상하는 데에 머물지 않고 능동적으로 소비하고 실용적으로 사용하게 되었다.

2022 지방직 7급 12번

5. ______________ 구조

이론 X에서 '만약 A가 일어나지 않았더라면 B도 일어나지 않았을 것이다.'의 의미는 무엇인가? 그것은, A가 일어나지 않고 B가 일어난 상황보다, A가 일어나지 않고 B도 일어나지 않은 상황이 A가 일어나고 B도 일어난 사실과 더 유사하다는 것이다. 가령 '만약 기온이 낮아지지 않았더라면 온도계 눈금은 내려가지 않았을 것이다.'라는 것은, 기온이 낮아지지 않고 온도계 눈금이 내려간 상황보다, 기온이 낮아지지 않고 온도계 눈금이 내려가지 않은 상황이 기온이 낮아졌고 온도계 눈금이 내려간 사실과 더 유사하다는 것이다.

2021 지방직 7급 20번

6. 통시적 흐름에 따른 구조

15세기 중엽 구텐베르크가 인쇄술을 도입했을 때 인쇄업에는 모험적인 투자가 필요했다. 인쇄 시설은 자주 교체해야 했고 노동비용과 종잇값도 비쌌을 뿐 아니라, 막대한 투자금의 회수도 오래 걸렸다. 결국 15세기 말 인쇄업은 자금을 빌려주는 업자들에게 종속되었는데 그들은 경제적 목적을 가지고 책 사업을 장악하였다. 책은 생산 원가의 2 ~ 3배의 이윤을 남기는 고가의 제품이었기 때문이다. 필사본의 수량적 한계를 뛰어넘은 책은 상인들의 교역로를 따라 유럽 각지로 퍼져 나갔다. 이 사치품은 수지맞는 상품으로 시장에서 거래되었고, 그 과정에서 사상의 교환이 촉진되었다.

2021 지방직 7급 13번

3 문장의 중요도 평정으로 글 읽기

1. 너무 긴 문장을 읽는 법: 필수 성분만 읽기

복지 공감 지도는 공간 분석 시스템을 활용하여 ○○시에 소재한 복지 기관들의 다양한 지원 항목과 이를 필요로 하는 복지 대상자, 독거노인, 장애인 등의 수급자 현황을 한눈에 확인할 수 있도록 구현한 것이다.

2022 국가직 9급 9번

2. 접속어로 평정하기

(1) 앞이 더 중요한 접속어

① ________ 왜냐하면 ________

> 생산량이나 소득처럼 겉보기에 가장 간단할 것 같은 경제학적 개념도 이끌어 내는 데 각종 어려움이 따른다. 왜냐하면 거기에 수많은 가치 판단이 들어가기 때문이다.
>
> 2020 지방직 7급 6번

② ________ 예를 들어 ________

> 철자 읽기가 명료하다는 것은 한 글자에 대응되는 소리가 규칙적이어서 글자와 소리의 대응이 거의 일대일이라는 것을 의미한다. 그 예로 이탈리아어와 스페인어가 있다. 이 두 언어의 사용자는 의미를 전혀 모르는 새로운 단어를 발견하더라도 보자마자 정확한 발음을 할 수 있다.
>
> 2021 국가직 9급 14번

(2) 뒤가 더 중요한 접속어

① ________ 그러나, 하지만 ________

> 농촌의 모습을 주된 소재로 삼는 A 드라마에 결혼이주여성이 등장한다는 것은 그녀들이 직면한 여러 문제들을 다룰 기회가 마련되었다는 점에서 일단은 긍정적이다. 하지만 그녀들이 농촌에 정착하는 과정에서 경험하게 되는 다양한 문제들을 단순화할 수 있는 위험성도 내포하고 있다.
>
> 2022 지방직 7급 17번

② ________ 그런데, 한편 ________

> 효(孝)가 개인과 가족, 곧 일차적인 인간관계에서 일어나는 행위를 규정한 것이라면, 충(忠)은 가족이 아닌 사람들과의 관계, 곧 이차적인 인간관계에서 일어나는 사회적 행위를 규정한 것이었다. 그런데 언제부터인가 우리는 효를 순응적 가치관을 주입하는 봉건 가부장제 사회의 유습이라고 오해하는가 하면, 충과 효를 동일시하는 오류를 저지르는 경향이 많아졌다.
>
> 2019 지방직 9급 20번

③ ________ 그러므로, 따라서 ________

> 대부분의 연출자는 선행 예술가로부터 영향을 받아 창작에 임하는 것이 너무도 당연하고 자연스럽다. **따라서** 무대연출 작업 중에서 독보적인 창작을 걸러내서 배타적인 권한인 저작권을 부여하는 것은 매우 흔치 않은 경우이고, 후발 창작을 방해하는 요소로 작용할 수도 있다.
>
> 2022 지방직 9급 3번

(3) 앞, 뒤가 중요한 접속어

① ________ 즉, 이처럼, 다시 말해 ________

> 가장 단순한 생명체는 먹이가 그들에게 헤엄쳐 오게 만들고, 고등동물은 먹이를 구하기 위해 땅을 파거나 포획 대상을 추적하기도 한다. **이처럼** 동물들은 자신의 목적을 위해 행동함으로써 환경을 변형시킨다.
>
> 2020년 지방직 9급 6번

② ________ 그리고, 또한, 뿐만 아니라,
게다가 ________

> ① 운영 방안에는 지방자치 및 의회의 기능과 역할, 민주 시민의 소양과 자질 등에 관한 교육 내용이 포함된다. **또한** ② 시의회 의장은 고유 권한으로 본회의장 시설 사용이 가능하도록 지원할 수 있다.
>
> 2022년 지방직 9급 9번

4 모르는 어휘가 나올 때 쫄지 말기

– 내가 아는 쉬운 어휘로 바꾸기

따라서 요트의 추진 원리를 이해하기 위해서는 풍압이 추진력의 주(主)가 되는 풍하범주(風下帆舟)와, 양력이 주(主)가 되는 풍상범주(風上帆舟)를 구분하여야 한다.

요트가 바람을 뒤쪽에서 받아 주행하는 풍하범주의 경우에는 바람에 의한 압력이 돛을 경계로 하여 풍상 측에서 높고 풍하 측에서 낮게 된다. 따라서 압력이 높은 풍상 측에서 압력이 낮은 풍하 측으로 나아가려는 힘이 발생하는데 이 힘을 총합력이라고 한다. 이 총합력의 힘은 평행사변형 법칙에 의하여 요트를 앞으로 추진시키는 전진력과 옆으로 밀리게 하는 횡류력으로 분해될 수 있다. 센터보드나 킬(keel)과 같은 횡류방지장치에 의하여 횡류를 방지하면서 전진력을 이용하여 앞으로 나아갈 수 있게 된다.

요트가 바람을 거슬러 올라가는 풍상범주의 경우는 비행기 날개에서 양력이 발생하여 비행기가 뜨게 되는 원리와 동일한 원리에 의하여 요트가 추진하게 된다.

2018년 지방직 7급 20번

MEMO

CHAPTER 02 설명 방식

赤功 국어 박혜선

대표 赤功 발문

01 다음에서 제시한 글의 전개 방식의 예로 가장 적절한 것은? 2020 국가직 9급
02 다음 글의 주된 서술 방식은? 2021 국가직 9급
03 다음 글에 대한 설명으로 적절하지 않은 것은? 2016 지방직 9급

출·종·포 이론 서술 방식

1. 정태적 전개 방식

(1) 정의와 지정

정의 (定義)	어떤 관점이나 현상에 대한 개념(뜻)을 설명하는 서술 방식 ▸ ~란 ~이다. ~이라는 의미가 있다. ~이다. 이를 ~이라 한다. 예 소설이란 사실 또는 작가의 상상력에 바탕을 두고 허구적으로 이야기를 꾸며 나간 산문체의 문학 양식을 의미한다. 다음 세대에 자신의 모어(母語)를 전달하지 않고자 하는 행위를 '언어 자살(language suicide)'이라고 한다.
지정 (指定)	손가락으로 가리키듯, 확실하게 가리켜 정하는 것 예 저 책이 내가 말한 정말 재미있다는 소설책이야.

(2) 비교와 대조

비교 (比較)	두 대상의 공통점을 서술 예 수지와 혜선이는 모두 예쁘다.
대조 (對照)	두 대상의 차이점을 서술 예 수지는 가볍다. 하지만(반면) 혜선 쌤은 무겁다.

(3) 분류와 분석

분류(分類)	구분(區分)	(종류) 상위 항목을 하위 항목으로 나누는 서술 방식 예 자동차에는 크기에 따라 소형차, 중형차, 대형차가 있다. 미술 작품에 등장하는 동물은 그 성격에 따라 나누어 보면 종교적·주술적인 동물, 신을 위한 동물, 인간을 위한 동물로 구분할 수 있다.
	분류(分類)	(종류) 하위 항목을 상위 항목으로 묶는 서술 방식 예 시, 소설, 수필 등을 문학이라고 한다.
분석(分析)		(구성이나 구조) 전체를 부분으로 나누어 설명하는 것 예 곤충은 머리, 가슴, 배로 나눌 수 있다. 자동차는 타이어, 핸들, 차체 등으로 구성되어 있다.

(4) 유추

유추(類推)	유사한 점에 기초하여 다른 개념을 더 쉽게 설명함. 예 바이러스는 집에 몰래 들어온 도둑과도 같다. 바이러스도 도둑과 마찬가지로 우리 몸에 들어와서 멀쩡했던 장기들을 엉망으로 만들어 놓는다.

(5) 예시

예시(例示)	어떤 내용에 구체적인 예를 드는 서술 방식 예 어떤 사물을 역사적 인물처럼 의인화하여 그 가계와 생애 및 개인적 성품, 공과(功過)를 기록하는 전기(傳記) 형식의 글을 가전이라고 한다. 거북·대나무·지팡이·술·돈 따위의 동물이나 식물, 생활에 필요한 물건 같은 사물을 의인화해 그 생애를 서술한다.

(6) 묘사

묘사(描寫)	어떤 대상을 시각, 청각, 촉각 등을 사용하여 있는 그대로 생생하게 그림을 그리듯이 서술하는 방식 예 푸줏간에서는 한쪽 볼에 힘껏 쥐어질린 듯 여문 밤톨만한 혹이 달리고 그 혹 부리에, 상기도 보이지 않는 손에 의해 끄들리고 있는 듯 길게 뻗힌 수염을 기른 홀아비 중국인이 고기를 팔았다.

(7) 문답

문답(問答)	중심 대상에 대해 질문하고 그에 대한 답을 서술하는 방식 예 그러면 말과 생각이 얼마만큼 깊은 관계를 가지고 있을까? 이 문제를 놓고 사람들은 오랫동안 여러 가지 생각을 하였다. 그 가운데 가장 두드러진 것이 두 가지 있다. 그 하나는 말과 생각이 서로 꼭 달라붙은 쌍둥이인데 한 놈은 생각이 되어 속에 감추어져 있고 다른 한 놈은 말이 되어 사람 귀에 들리는 것이라는 생각이다. 다른 하나는 생각이 큰 그릇이고 말은 생각 속에 들어가는 작은 그릇이어서 생각에는 말 이외에도 다른 것이 더 있다는 생각이다.

(8) 문제 해결

문제 해결(問題 解決)	어떤 현상에 대한 문제점의 원인을 파악하고 문제를 해결하는 서술 방식

2. 동태적 전개 방식

(1) 서사

서사(敍事)	시간의 흐름에 따라 어떤 사건이나 일을 서술하는 방식. 보통 소설에서 많이 보인다. 예 사람들은 약속이나 한 듯 말을 잊었다. 어쩌면 그들은 열차를 기다리고 있다는 사실조차 망각하고 있는 것인지도 모른다. 중년 사내는 담배를 입에 문 채 성냥불을 댕기려다 말고 멍하니 난로의 불빛을 들여다보고 있다. 노인을 안고 있는 농부도, 대학생도, 쭈그려 앉은 아낙네들도, 서울 여자도, 머플러를 쓴 춘심이도 저마다의 손바닥들을 불빛 속에 적셔 두고 망연한 시선을 난로 위에 모은 채 모두들 아무 말도 하지 않았다.

(2) 인과

인과(因果)	원인과 결과를 서술하는 설명 방식 예 한국의 자연환경은 사계(四季)의 구분이 뚜렷한 전형적인 온대지역이며, 지형 또한 노년기의 완만한 구릉 지대여서 선율적이고 곡선이 많다. 따라서 자연에 도전하기보다는 자연의 질서에 순응하며 살아왔으며, 이러한 자연환경은 한국인의 자연에 대한 애호와 순응성을 기르는 데 도움을 주었고, 성품 형성에 크게 작용하였다.

(3) 과정

과정(過程)	일련의 행동, 변화, 기능, 단계, 작용 등에 초점을 두는 서술 방식 예 먼저 물을 담고 물을 끓인다. 물이 끓으면 스프를 넣는다. 그 다음 면을 넣는다.

출·종·포 적용 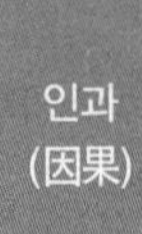 서술 방식 문제 맞히기

❶ '서술 방식' 긍정 발문 유형

1. 정의, 예시, 인과, 열거, 비교, 대조, 분류, 분석, 유추 등의 서술 방식(= 내용 전개 방식)의 개념을 먼저 잘 숙지해야 한다. 이 단어들이 모두 선택지에 나오기 때문이다. 비슷하지만 전혀 다른 개념인 '정의와 지정', '분류와 분석', '비교와 대조'의 서술 방식도 잘 구별해야 한다.

2. 제시문의 내용 전개 방식을 고르는 문제 유형의 경우에는 제시문의 주된 설명 방식을 파악한 후에 선택지를 확인한다. 공부를 하는 입장에서 기출을 분석할 때에는 반드시 각각의 선택지가 어떠한 서술 방식으로 표현되었는지도 꼼꼼히 확인하여야 한다. 또 시험에 나올 수 있기 때문이다.

❷ '서술상의 특징' 부정 발문 유형

1. 하나의 제시문을 주고 그 안에 나타나는 지엽적인 서술상의 특징을 파악하는 문제 유형이다.

2. 이 경우에는 선택지의 길이가 짧은 경우가 많기 때문에 제시문과 선택지를 번갈아 보며 눈을 왔다 갔다 하면서 참인 선택지를 소거하며 적절하지 않은 답을 찾아가야 한다.

대표 亦功 기출

01 다음 글의 주된 서술 방식은? 2022 지방직 9급

이지러는 졌으나 보름을 가제 지난 달은 부드러운 빛을 흐뭇이 흘리고 있다. 대화까지는 칠십 리의 밤길, 고개를 둘이나 넘고 개울을 하나 건너고, 벌판과 산길을 걸어야 된다. 길은 지금 긴 산허리에 걸려 있다. 밤중을 지난 무렵인지 죽은 듯이 고요한 속에서 짐승 같은 달의 숨소리가 손에 잡힐 듯이 들리며, 콩 포기와 옥수수 잎새가 한층 달에 푸르게 젖었다.

① 묘사　② 설명
③ 유추　④ 분석

02 밑줄 친 부분의 주된 설명 방식은? 2019 지방직 7급

보살은 자기 자신이 불경의 체험 내용인 보리를 구하려고 노력하는 동시에 일체의 타인에게도 그의 진리를 체득시키고자 정진하는 인간이다. 그러므로 보살은 나한과 같은 자리(自利)를 위하여 보리를 구하는 자가 아니고 어디까지든지 이타(利他)를 위하여 활동하는 것이다. 나한이 개인적 자각인 데 대하여 보살은 사회적 자각에 입각한 것이니, 나한은 언제든지 개인 본위이고 개인 중심주의인 데 대하여 보살은 사회 본위이고 사회 중심주의인 것이다.

① 유추　② 묘사
③ 예시　④ 대조

01
아름다운 달밤의 경치를 자세하게 '묘사'하고 있다. '부드러운 빛을 흐뭇이 흘리고 있다, 고요한 속에서 짐승 같은 달의 숨소리가 손에 잡힐 듯이 들리며, 콩 포기와 옥수수 잎새가 한층 달에 푸르게 젖었다.'를 보면 시각적 이미지와 청각적 이미지가 자세히 묘사되고 있기 때문이다.

정답 ①

02
이 문제는 글의 서술상의 특징을 물어보는 기본적인 문제이다. 제시문에서는 나한과 보살의 특성의 차이점을 서술하고 있으므로 밑줄 친 부분의 주된 설명 방식은 '대조'이다. 나한이 개인적 자각인 반면 보살은 사회적 자각에 입각한 것이라고 한다. 나한은 '개인'에 초점이 있는 반면, 보살은 '사회'에 초점이 있는 것이므로 이는 차이점을 설명하고 있는 것이다.

오답풀이 ① 유추란 같은 종류의 것 또는 비슷한 것에 기초하여 다른 사물을 미루어 추측하는 일을 의미한다. 쉽게 말하면 유추는 어떤 대상을 익숙한 대상에 빗대어 더 쉽게 설명하는 것이다.
② 묘사란, '어떤 대상이나 사물·현상 따위를 언어로 서술하거나 그림을 그려서 나타냄.'을 의미한다.
③ 예시란, '구체적인 예를 들어 보임.'을 의미한다.

정답 ④

중심 화제, 주제, 제목 찾기

대표 赤功 발문

01 다음 글의 제목으로 가장 적절한 것은? 2019 지방직 9급

출·종·표 적용 **중심 화제, 주제, 제목 찾기**

❶ 중심 화제를 찾기

1. 가장 많이 ______.

2. ______를 내림

3. 따옴표 (___, ___)

4. ___________

❷ 중심 화제의 중요 정보

1. 문단의 중심 문장을 찾아야 한다.

('______, ______'의 역접 부사. '______, ______'의 전환 부사,
'______, ______, _________, 즉, _________'의 환언 부사,
'______, _______, ______'의 결과 부사)

2. 짧은 제시문의 경우에는 앞부분에 중심 화제가 제시되는 경우가 많다.

3. 2문단으로 된 긴 제시문의 경우에는 1, 2문단의 중심 내용을 모두 포괄하는 제목으로 골라야 한다.

4. 너무 구체적인 예시, 꾸미는 말보다는 일반적인 설명이 더 중요하다.

❸ 출제자가 오답 선택지를 만드는 방법

1. 화제를 지나치게 넓게 ______하는 단어 넣기

2. 화제의 여러 측면 중에서 ______에 해당하는 단어 넣기
   화제보다 ______하거나 ______적인 단어를 넣기

3. 화제의 다른 ______의 단어 넣기

4. 제시문과 ___________ 내용의 그럴듯한 단어 넣기

5. 1, 2문단 중에서 ______에만 나온 내용의 단어 넣기

01 다음 글의 제목으로 가장 적절한 것은? 2016 지방직 9급

어느 대학의 심리학 교수가 그 학교에서 강의를 재미없게 하기로 정평이 나 있는, 한 인류학 교수의 수업을 대상으로 실험을 계획했다. 그 심리학 교수는 인류학 교수에게 이 사실을 철저히 비밀로 하고, 그 강의를 수강하는 학생들에게만 사전에 몇 가지 주의 사항을 전달했다. 첫째, 그 교수의 말 한 마디 한 마디에 주의를 집중하면서 열심히 들을 것. 둘째, 얼굴에는 약간 미소를 띠면서 눈을 반짝이며 고개를 끄덕이기도 하고 간혹 질문도 하면서 강의가 매우 재미있다는 반응을 겉으로 나타내며 들을 것.

한 학기 동안 계속된 이 실험의 결과는 흥미로웠다. 우선 재미없게 강의하던 그 인류학 교수는 줄줄 읽어 나가던 강의 노트에서 드디어 눈을 떼고 학생들과 시선을 마주치기 시작했고 가끔씩은 한두 마디 유머 섞인 농담을 던지기도 하더니, 그 학기가 끝날 즈음엔 가장 열의 있게 강의하는 교수로 면모를 일신하게 되었다. 더욱 더 놀라운 것은 학생들의 변화였다. 처음에는 실험 차원에서 열심히 듣는 척하던 학생들이 이 과정을 통해 정말로 강의에 흥미롭게 참여하게 되었고, 나중에는 소수이긴 하지만 아예 전공을 인류학으로 바꾸기로 결심한 학생들도 나오게 되었다.

① 학생 간 의사소통의 중요성
② 교수 간 의사소통의 중요성
③ 언어적 메시지의 중요성
④ 공감하는 듣기의 중요성

01
강의를 재미없게 하는 것으로 정평이 난 인류학 교수가 자신의 수업에 흥미를 느껴 하는 학생들에게는 열의 있는 강의를 한다는 내용이다. 학생들이 적극적인 반응을 보이며 강의를 잘 듣자 교수의 강의도 긍정적으로 변하고 학생들 또한 더 강의에 흥미롭게 참여하게 되었다. 강의에 공감하며 듣는 태도가 긍정적 변화를 이끌었으므로 답은 ④이다.

정답 ④

대표 赤功 기출

02 다음 글의 제목으로 가장 적절한 것은? 2022 군무원 7급

당시 영국의 곡물법은 식량 가격의 인상을 유발하지 않으면서도 자국의 농업 생산을 장려하고자 하는 목적에서 제정된 것으로, 이 법에 따라 영국 정부는 수입 곡물에 대해 탄력적인 관세율을 적용하여 곡가(穀價)를 적정하게 유지하고자 하였다. 그런데 나폴레옹 전쟁 이후 전시 수요는 크게 둔화된 반면, 대륙 봉쇄가 풀리면서 곡물 수입이 활발해짐에 따라 식량 가격은 하락하기 시작했다. 이에 농부들은 수입 곡물에 대해 관세를 더욱 높일 것을 요구하였다. 아울러 이러한 요구는 국력의 유지와 국방의 측면을 위해서도 국내 농업 생산 보호가 필요하다는 지주들의 주장에 의해 뒷받침되었다. 이와는 달리, 공장주들은 수입 곡물에 대한 관세 인상을 반대하였다. 관세가 인상되면 곡가가 오르고 임금도 오르게 되며, 그렇게 되면 이윤이 감소하고 제조품의 수출도 감소하여 마침내 제조업의 파멸을 초래하게 된다는 것이었다. 이에 공장주들은 영국의 미래는 농업이 아니라 공업의 확장에 달려 있다고 주장하면서 곡물법의 즉각적인 철폐를 요구하기에 이르렀다.

① 영국 곡물법의 개념
② 영국 곡물법의 철폐
③ 영국 곡물법에 대한 의견
④ 영국 곡물법의 제정과 변화

02
지문은 곡물법을 설명하고 나폴레옹 전쟁 이후 곡물법의 활용을 통한 수입 곡물 관세 인상을 주장하는 농부 및 지주의 의견과 곡물법의 철폐를 요구하는 공장주의 의견을 소개하고 있다. 따라서 글의 제목으로 '영국 곡물법에 대한 의견'이 가장 적절하다.

오답풀이 ① 처음에 잠깐 곡물법의 개념이 일부 제시되었을 뿐이다.
② 지문의 마지막 부분에 '공장주들은 ~ 곡물법의 즉각적인 철폐를 요구'한 내용이 일부 제시되었을 뿐이다.
④ 영국 곡물법의 제정과 변화는 마지막 부분에만 일부 제시될 뿐이었다.

정답 ③

MEMO

중심 내용 찾기

대표 赤功 발문

01 다음 글의 결론으로 가장 적절한 것은? 2021 지방직 9급
02 다음 글에서 결론적으로 주장하는 바로 가장 적절한 것은? 2019 지방직 7급
03 〈보기〉에서 말하고자 하는 바로 가장 적절한 것은? 2022 서울시 9급
04 다음 발화에 나타난 주장으로 가장 적절한 것은? 2020 지방직 7급

출·종·포 적용 중심 내용 찾기

❶ (가)~(라)의 중심 내용을 찾는 문제가 나오는 경우에는 (가)를 읽고 선택지 ①을 판단하고 (나)를 읽고 ②를 판단하는 순서로 문제를 풀어야 한다.

❷ 중심 화제가 중심 내용 안에 그대로 포함되거나, 다른 말로 바뀌어 표현될 수 있다. 중심 화제는 주로 정의를 내리는 대상이거나 따옴표가 찍혀 있거나 많이 등장하는 말이다.

❸ 제시문에서 의문을 제기하는 경우에는 그에 대한 답변이 중심 내용이 될 수 있다.

❹ 2문단일 경우 두 번째 문단에 '그러나, 하지만'이 나오면 두 번째 문단에 중심 내용이 나올 확률이 크다.

❺ 지엽적이거나 세부적인 내용이 아니라 글 전체를 포괄하는 내용이 중심 내용이 된다.

다음 글에서 결론적으로 주장하는 바로 가장 적절한 것은? 2019 지방직 7급

사회 관계망 서비스(SNS)는 개인의 알 권리를 충족하거나 사회적 정의 실현을 위해 생각과 정보를 공유할 수 있도록 돕는다는 면에서 긍정적인 가치를 인정받는다. 그러나 도덕적 응징이라는 미명하에 개인의 신상 정보를 무차별적으로 공개하는 범법 행위가 확산되면서 심각한 사회 문제가 일고 있는 것이 사실이다. 법적 처벌이 어렵다면 도덕적으로 응징해서라도 죄를 물어야 한다는 누리꾼들의 요구가, '모욕죄'나 '사이버 명예 훼손죄' 등으로 처벌될 수 있는 범죄 행위 수준의 과도한 행동으로 이어지는 경우를 우려해야 하는 상황인 것이다.

특히 사회적 비난이 집중된 사건의 경우, 공익을 위한다는 생각으로 사건의 사실 여부를 제대로 확인하지도 않은 채 개인 신상 정보부터 무분별하게 유출하는 행위가 끊이지 않고 있어 문제의 심각성이 커지고 있다. 그로 인해 개인의 사생활 침해와 인격 훼손은 물론, 개인 정보가 범죄에 악용되는 부작용이 발생하고 있다. 따라서 사회 관계망 서비스를 이용하여 정보를 공유할 때에는, 개인의 사생활을 침해하거나 인격을 훼손하는 정보를 유출하는 것은 아닌지 각별한 주의를 기울일 필요가 있다.

① 정보 공유를 통해 사회 정의를 실현할 수 있다.
② 정보 유출로 공공의 이익이 훼손되는 경우는 없다.
③ 공유된 정보는 사실 관계를 확인할 수 있어야 한다.
④ 정보 공유 과정에서 개인의 인권이 침해당해서는 안 된다.

PART 06

1문단에서는 '사회 관계망 서비스(SNS)'의 장점에 대해 언급하면서 동시에 개인의 신상 정보를 무차별적으로 공개하는 범법 행위가 확산되고 있는 문제를 제기하고 있다. 그리고 2문단에서 "따라서 사회 관계망 서비스를 이용하여 정보를 공유할 때에는, 개인의 사생활을 침해하거나 인격을 훼손하는 정보를 유출하는 것은 아닌지 각별한 주의를 기울일 필요가 있다."라고 언급되어 있다. 즉, SNS를 하는, 정보 공유 과정에서 개인의 인권이 침해당해서는 안 된다라는 의미이므로 답은 ④이다.

오답풀이 ① 제시문에서 SNS는 사회적 정의 실현을 위해 생각과 정보를 공유할 수 있도록 돕는 기능이 있다고 언급을 하고는 있지만, 이것은 일부의 내용일 뿐이다. 뒤의 부분에서는 그 과정에서 개인의 인권이 침해될 수 있으므로 주의를 기울이라고 하는 주장을 더 강하게 하고 있으므로 ①은 제시문의 결론으로 볼 수 없다.
② '공공의 이익이 훼손되는 경우가 없다'는 내용은 아예 언급되지 않고 있으므로 결론으로 적절하지 않다.
③ 제시문에서는 사건의 사실 여부를 제대로 확인하지도 않은 채 개인 신상 정보부터 무분별하게 유출하는 것은 옳지 않다며 비판하고 있기는 하다. 하지만 이것은 일부의 내용이지 결론적으로 주장하는 내용은 아니므로 옳지 않다.

정답 ④

내용 일치, 불일치

대표 赤功 발문

01 다음 글에 대한 이해(=견해)로 적절하지 않은 것은? 2022 지방직 9급

출·좋·포 적용 **내용 일치, 불일치**

❶ 이 유형은 눈을 크게 뜨고 읽으면 지문에 답이 있다!
절대 틀리면 안 되는 유형이므로 긴장하지 말고 단서를 찾아서 빠르게 소거해야 한다.

❷ 긍정 발문의 경우에는 적절한 선지가 1개, 적절하지 않은 선지가 3개이므로 바로 제시문을 읽어준 후 선택지를 보는 것이 낫다. 자칫 선택지를 미리 읽은 것이 편견으로 작용될 수 있기 때문이다.

❸ 부정 발문의 경우에는 적절한 선지가 3개, 적절하지 않은 선지가 1개이므로 선택지 먼저 본다. 선택지에 힌트가 많기 때문이다. 선택지를 먼저 볼 때에는 분석적으로 선지를 2부분으로 나누는 것이 좋다. 제시문에서 특히 눈에 띄는 숫자, 고유 명사, 사람 이름이 나오면 미리 체크해 놓으면 좋다.

❹ 보통 제시문을 꼼꼼히 읽고 선택지를 고르면 바로 답이 나오거나 2개 정도가 헷갈린다. 답이 헷갈리는 경우에는 그 선지를 언급한 부분 정도는 기억이 나므로 눈으로 확인하고 참과 거짓을 판별하면 된다.

❺ 출제자가 내용 불일치 선택지를 만드는 방법

1. 주체 혼동의 오류 (대조 구문 多)
   - A이론의 설명인데 B이론의 설명인 것처럼 함.
   예 A는 b했다. (X) (사실은 'B는 b했다'가 옳음)

2. 비교 구문의 오류
   예 A보다는 B (X) (사실은 'B보다는 A'가 옳음)
   예 아예 비교 자체를 한 적이 없는 경우

3. 제시문과 반대되는 내용
   예 크다 (사실은 '작다'가 옳음)
   예 남쪽 (사실은 '북쪽'이 옳음)
   예 많다 (사실은 '적다'가 옳음)

4. 아예 언급되지 않은 내용

5. '항상', '모두', '오직', '뿐', '만'과 같이 극단적인 내용
   예 고급 포도주는 모두 너무 덥지도 춥지도 않은 곳에서 재배된 포도로 만들어졌다.

❻ **선후관계/인과관계의 오류**

❼ **출제자가 내용 일치 선택지를 만드는 방법**

1. 제시문의 내용을 단어를 많이 바꾸지 않고 그대로 선택지로 만듦
2. 제시문의 특정 단어나 구절을 다른 표현으로 바꿔 선택지로 만듦

대표 기출

01 다음 글의 내용과 부합하지 않는 것은? 2023 국가직 9급

과학 혁명 이전 아리스토텔레스 철학은 로마 가톨릭교의 정통 교리와 결합되어 있었기 때문에 오랜 시간 동안 지배적인 영향력을 발휘하였다. 천문 분야 또한 예외는 아니었다. 아리스토텔레스의 세계관을 따라 우주의 중심은 지구이며, 모든 천체는 원운동을 하면서 지구의 주위를 공전한다는 천동설이 정설로 자리 잡고 있었다. 프톨레마이오스가 천체들의 공전 궤도를 관찰하던 도중, 행성들이 주기적으로 종전의 운동과는 반대 방향으로 움직인다는 관찰 결과를 얻었을 때도 그는 이를 행성의 역행 운동을 허용하지 않는 천동설로 설명하고자 하였다. 그래서 지구를 중심으로 공전하는 원 궤도에 중심을 두고 있는 원, 즉 주전원(周轉圓)을 따라 공전 궤도를 그리면서 행성들이 운동한다고 주장하였다.

과학과 아리스토텔레스 철학의 결별은 서서히 일어났다. 그 과정에서 일어난 가장 중요한 사건은 1543년 코페르니쿠스가 행성들의 운동 이론에 관한 책을 발간한 일이다. 코페르니쿠스는 천체의 중심에 지구 대신 태양을 놓고 지구가 태양의 주위를 공전한다고 주장하였다. 태양을 우주의 중심에 둔 코페르니쿠스의 지동설은 행성들의 운동에 대해 프톨레마이오스보다 수학적으로 단순하게 설명하였다.

① 과학 혁명 이전 시기에는 천동설이 정설로 받아들여졌다.
② 프톨레마이오스의 주전원은 지동설을 지지하고자 만든 개념이다.
③ 천동설과 지동설은 우주의 중심을 어디에 두느냐에 따라 구분된다.
④ 행성의 공전에 대한 프톨레마이오스의 설명은 코페르니쿠스의 설명보다 수학적으로 복잡하였다.

01
'주전원'은 지구를 중심으로 공전하는 원 궤도에 중심을 두고 있는 원이기에 천동설을 지지하는 개념이다.

오답풀이 ① 과학 혁명 이전에는 로마 카톨릭교와 결합된 아리스토텔레스 철학에 따라 천동설이 정설이었다.
③ 천동설은 우주의 중심을 지구로, 지동설은 우주의 중심을 태양으로 설명하는 이론이다.
④ 본문 마지막에서 '코페르니쿠스의 지동설은 ~ 프톨레마이오스보다 수학적으로 단순하게 설명하였다'고 제시되었다.

정답 ②

PART 06

대표 赤功 기출

02 다음 글을 이해한 내용으로 적절한 것은? 2023 국가직 9급

디지털 트윈은 현실 세계와 똑같은 가상의 세계이다. 최근 주목받고 있는 메타버스와 개념은 유사하지만 활용 목적의 측면에서 구별된다. 메타버스는 가상 세계와 현실 세계가 융합된 플랫폼으로 이용자들에게 새로운 경제·사회·문화적 경험을 제공하는 데 목적을 둔다. 반면 디지털 트윈은 현실 세계에 존재하는 사물, 공간, 환경, 공정 등을 컴퓨터상에 디지털 데이터 모델로 표현하여 똑같이 복제하고 실시간으로 서로 반응할 수 있도록 한다. 그래서 디지털 트윈의 이용자는 가상 세계에서의 시뮬레이션을 통해 미래 상황을 예측할 수 있게 된다. 디지털 트윈에 대한 수요가 증가하면서 관련 시장도 확대되고 있으며, 국내외의 글로벌 기업들은 여러 산업 분야에서 디지털 트윈을 도입하여 사전에 위험 요소를 제거하고 수익 모델의 효율성을 높이고 있다. 디지털 트윈이 이렇게 주목받는 이유는 안정성과 경제성 때문인데 현실 세계를 그대로 옮겨 놓은 가상 세계에 데이터를 전송, 취합, 분석, 이해, 실행하는 과정은 실제 실험보다 매우 빠르고 정밀하며 안전할 뿐 아니라 비용도 적게 든다.

① 디지털 트윈을 활용함에 따라 글로벌 기업들의 고용률이 향상되었다.
② 디지털 트윈의 데이터 모델은 현실 세계의 각종 실험 모델보다 경제성이 낮다.
③ 디지털 트윈에서의 시뮬레이션으로 현실 세계의 위험 요소를 찾아내고 방지할 수 있다.
④ 디지털 트윈은 현실 세계의 이용자에게 새로운 문화적 경험을 제공하는 데 목적이 있다.

02
본문 중반부에서 디지털 트윈을 이용해 미래 상황을 예측할 수 있다는 내용을 확인할 수 있다. 따라서 현실 세계의 위험을 찾고 방지할 수 있다는 서술은 적절하다.

오답풀이 ① 관련 시장이 확대되고 있다는 서술은 있지만, 고용률에 대한 언급은 없다.
② 본문 마지막에서, 디지털 트윈은 실제 실험보다 빠르고 정밀하고 안전하며 비용이 적게 든다. 따라서 오히려 경제성이 높다.
④ 새로운 문화적 경험을 제공하는 것은 메타버스이다.

정답 ③

MEMO

문장, 문단 배열하기

대표 赤功 발문

01 다음 글의 전개 순서로 가장 자연스러운 것은? 2022 지방직 9급
02 문맥에 따른 배열로 가장 자연스러운 것은? 2017 지방직 9급 추가

출·종·포 적용 문장 문단 배열 순서

❶ 먼저 선택지로 가장 앞에 올 가능성이 있는 문단을 파악한다. (보통 2개로 줄어든다)

① (가) – (나) – (다) – (라) ② (가) – (라) – (나) – (다) ③ (나) – (가) – (라) – (다) ④ (나) – (라) – (다) – (가)

❷ 글이 접속어나 지시어로 시작할 가능성은 낮다.

❸ 첫 문단이 확실하면 그대로 배열하면 된다.
하지만 첫 문단이 확실하지 않으면 섣불리 선택지를 소거해서는 안 된다.
하나 정해서 뒤의 것을 배열하되, 이상함을 발견하면 첫 번째 배열을 달리해야 한다.

❹ 가장 흔한 경우

– 표면적으로 연결되는 경우
① 보통 각 문단의 앞부분과 끝부분에 이어지는 같은 단어가 표면적으로 있는지 보기
② 앞부분의 단어가 지시어로 받아지는지 보기
③ 접속 부사로 연결이 자연스럽게 연결되는지 보기

– 이면적으로 연결되는 경우
① 같은 단어, 지시어, 접속 부사가 없이 연결되는 경우에는 의미적 연결로 봐야 한다.

다음 글에서 (가) ~ (다)의 순서를 자연스럽게 배열한 것은? 2023 국가직 9급

빅데이터가 부각된다는 것은 기업들이 빅데이터의 가치를 받아들이기 시작했다는 뜻이다. 여기에는 기업들이 데이터를 바라보는 시각이 변한 측면도 있다.

(가) 기업들은 고객이 판촉 활동에 어떻게 반응하고 평소에 어떻게 행동하며 사물에 대해 어떤 태도를 보이는지 알기 위해 많은 돈을 투자해 마케팅 조사를 해 왔다.

(나) 그런 상황에서 기업들은 SNS나 스마트폰 등 새로운 데이터 소스로부터 그러한 궁금증과 답답함을 해결할 수 있다는 것을 알게 되었다. 페이스북에 올리는 광고에 친구가 '좋아요'를 한 것에서 기업들은 궁금증과 답답함을 해결할 수 있다.

(다) 그런데 기업들의 그런 노력이 효과가 있는 경우도 있었으나 아쉬운 점도 많았다. 쉬운 예로, 기업들은 많은 광고비를 쓰지만 그 돈이 구체적으로 어느 부분에서 효과를 내는지는 알지 못했다.

결국 데이터가 있는 곳에서 기업들은 점점 더 고객의 취향에 집중할 수 있게 되었으며, 이에 따라 기업들은 소셜 미디어의 빅데이터를 중요한 경영 수단으로 수용하기 시작한 것이다.

① (가) – (나) – (다)
② (가) – (다) – (나)
③ (나) – (가) – (다)
④ (다) – (나) – (가)

PART 06

기업이 빅데이터의 가치를 받아들이기 시작했다고 글을 연다. 이후에 이어질 내용으로 (나)는 '그러한 궁금증'에 선행하는 말이 없기에 적절하지 않으며 (다)는 '그런 노력'에 선행하는 말이 없기에 적절하지 않다. 따라서 (가)가 가장 처음에 오되, (가)에서 기업이 마케팅 조사를 해 왔으며 (다)에서 이러한 마케팅 조사에 대한 노력이 효과가 없었는데, (나)에서 그 해결 방안을 알게 되었다는 내용 전개가 적절하다.

정답 ②

사례 추론

대표 赤功 발문

01 ㉠~㉣의 사례로 적절하지 않은 것은? 2022 국가직 9급
02 하버마스의 주장에 부합하는 사례로 가장 적절한 것은? 2021 국가직 9급
03 글의 내용을 구체적으로 설명하기 위한 예로 적절하지 않은 것은? 2019 국가직 9급
04 다음 글을 뒷받침하는 예로 적절하지 않은 것은? 2017 지방직 7급

출·좋·포 적용 사례 추론

❶ 제시문을 먼저 읽고 사례에 적용해야 하는 '조건'을 먼저 추출하면서 읽는다.
조건에 밑줄을 긋는 것이 핵심이다.
밑줄을 어디에 긋는가에 따라 정답과 오답이 결정된다.

❷ 보통 조건은 1개에서 많으면 3개 정도로 추릴 수 있다.
그런데, 이 조건들 외에 '적용되어서는 안 되는 조건'이 있으면 이를 따로 정리해야 한다.

❸ 적용해야 할 조건이 ⊕조건, 적용하면 안되는 조건이 ⊖조건이다.

다음 글에서 추론한 내용으로 가장 적절한 것은? 2023 국가직 9급

공포의 상태와 불안의 상태를 구분하는 것은 쉽지 않다. 왜냐하면 두 감정을 함께 느끼거나 한 감정이 다른 감정을 유발할 때가 많기 때문이다. 가령, 무시무시한 전염병을 목도하고 공포에 빠진 사람은 자신도 언젠가 그 병에 걸릴지 모른다는 불안 상태에 빠지게 된다. 이처럼 두 감정은 서로 밀접하게 얽혀 있다는 점에서 혼동하기 쉽다. 하지만 두 감정을 야기한 원인을 따져 보면 두 감정을 명확하게 구분할 수 있다. 공포는 실재하는 객관적 위협에 의해 야기된 상태를 의미하고, 불안은 현재 발생하지 않았으며 미래에 일어날지 모르는 불명확한 위협에 의해 야기된 상태를 의미한다. 공포와 불안의 감정은 둘 다 자아와 관련되어 있지만 여기에서도 차이를 찾을 수 있다. 공포를 느끼는 것은 '나 자신'이 위험한 상황에 놓여 있다는 사실을 아는 것이고, 불안의 경험은 '나 자신'이 위해를 입을까 봐 걱정하는 것이다.

① 자신이 처한 위험한 상황을 정확히 인식하는 경우에는 공포감에 비해 불안감이 더 크다.
② 전기・가스 사고가 날까 두려워 외출하지 못하는 사람은 불안한 상태에 있는 것이다.
③ 시험에 불합격할 수 있다는 생각에 사로잡힌 사람은 공포감에 빠져 있는 것이다.
④ 과거에 큰 교통사고를 경험한 사람은 공포감은 크지만 불안감은 작다.

전기 및 가스 사고는 아직 일어나지 않은 것이기에 불안감이 유발된다.

오답풀이 ① 공포는 실재하는 객관적 위협에 의해, 불안은 아직 일어나지 않은 불명확한 위협에 의해 발생한다. 따라서 위험 상황을 정확히 인식한다면 공포감이 생겨날 것이다.
③ 시험 불합격은 아직 일어나지 않은 것이기에 불안감이 유발된다.
④ 교통사고는 미래에 또다시 일어날지 모르는 불명확한 위협이기에 불안감이 더 크다.

정답 ②

CHAPTER 08 빈칸 추론+이어질 내용 추론

赤功 국어 박혜선

대표 赤功 발문

01 글의 통일성을 고려할 때 (가)에 들어갈 말로 가장 적절한 것은? 2021 지방직 9급
02 다음 글에 이어질 내용으로 가장 적절한 것은? 2016 국가직 7급

출·좋·표 적용 빈칸 추론+이어질 내용 추론

❶ 거의 모든 것이 긍정 발문이기 때문에 선택지로 가지 않고 제시문을 먼저 전체적으로 읽어야 한다.

❷ 빈칸이 중간 부분에 나타나는 경우에는 앞뒤의 정보를 꼼꼼하게 읽는다.

❸ 빈칸이 끝부분에 나타나는 경우에는 앞의 정보를 꼼꼼하게 읽는다.

❹ 주변 정보를 잘 살핀 후에 객관적인 근거를 바탕으로 빈칸에 어떤 것이 들어갈지 미리 예측한 후 제일 비슷한 선택지를 고른다.
만약 예측이 어렵다면 선택지를 보면서 추려 간다.

대표 亦功 기출

(가)와 (나)에 들어갈 말로 적절한 것은? 2023 국가직 9급

특정한 작업을 수행하기 위해 신체 근육의 특정 움직임을 조작하는 능력을 운동 능력이라고 한다. 언어에 관한 운동 능력은 '발음 능력'과 '필기 능력' 두 가지인데 모두 표현을 위한 능력이다.

말로 표현하기 위해서는 발음 능력이 필요한데, 이는 음성 기관을 움직여 원하는 음성을 만들어 내는 능력이다. 이 능력은 영·유아기에 수많은 시행착오와 꾸준한 훈련을 통해 습득된다. 이렇게 발음 능력을 습득하면 음성 기관의 움직임은 자동화되어 음성 기관의 어느 부분을 언제 어떻게 움직일지를 화자가 거의 의식하지 않는다. 우리가 모어에 없는 외국어 음성을 발음하기 어려운 이유는 [(가)] 있기 때문이다.

글로 표현하기 위해서는 필기 능력이 필요하다. 필기에서는 글자의 모양을 서로 구별되게 쓰는 것은 기본이고 그 수준을 넘어서서 쉽게 알아볼 수 있는 모양으로 잘 쓰는 것도 필요하다. 글씨를 쓰기 위해 손을 놀리는 것은 발음을 하기 위해 음성 기관을 움직이는 것에 비해 상당히 의식적이라 할 수 있다. 그렇지만 개인의 의지와 관계없이 필체가 꽤 일정하다는 사실은 손을 놀리는 데에 [(나)] 의미한다.

① (가): 음성 기관의 움직임이 모어의 음성에 맞게 자동화되어
(나): 무의식적이고 자동적인 면이 있음을
② (가): 낯선 음성은 무의식적으로 발음하도록 훈련되어
(나): 유아기에 수행한 훈련이 효과적이지 않음을
③ (가): 음성 기관의 움직임이 모어의 음성에 맞게 자동화되어
(나): 유아기에 수행한 훈련이 효과적이지 않음을
④ (가): 낯선 음성은 무의식적으로 발음하도록 훈련되어
(나): 무의식적이고 자동적인 면이 있음을

2문단에서는 발음 능력을 습득하면 음성 기관의 움직임이 자동화되어 화자가 의식하지 않는다고 하였다. 따라서 모어에 없는 외국어 음성을 발음하기 어려운 것은 음성 기관이 모어에 맞게 자동화되어 있기 때문이다. 3문단에서는 필기 능력을 이야기하는데, 필기 능력이 발음 능력에 비해 의식적이긴 하지만 의지와 관계없이 필체가 일정하다는 사실로 논지가 이어지려면 의식적이 아닌 무의식적인 특성이 있다는 견해가 나와야 한다.

정답 ①

박혜선

주요 약력

고려대학교 국어국문학과 최우수 수석 졸업
고려대학교 국어국문학과 심화 전공
고려대학교 국어국문학과 중등학교 정교사 2 급 자격증
前) 대치, 반포 산에듀 온라인 오프라인 최연소 대표 강사
現) 박문각 공무원 국어 1 타 강사

주요 저서

시작! 박혜선 국어(박문각출판)
박혜선의 ALL IN ONE 문법의 왕도(박문각출판)
박혜선의 ALL IN ONE 문학의 왕도(박문각출판)
박혜선의 ALL IN ONE 한자의 왕도
박혜선의 ALL IN ONE 비문학 쌍끌이(박문각출판)
박혜선의 콤팩트 어문규정(박문각출판)
박혜선의 고전 운문 완전 격파
박혜선의 신기록 문법 기출(박문각출판)
박혜선의 신기록 문학 기출(박문각출판)
박혜선의 콤팩트한 단원별 문제 풀이(문법 편)(박문각출판)
박혜선의 콤팩트한 단원별 문제 풀이(독해 편)(박문각출판)
박혜선의 ALL IN ONE 문법 쌍끌이(박문각출판)
박혜선의 ALL IN ONE 문학 쌍끌이(박문각출판)

시작! 박혜선 국어

박문각 공무원 입문서

초판인쇄 | 2023. 5. 15. **초판발행** | 2023. 5. 19. **편저자** | 박혜선 **발행인** | 박 용
발행처 | (주)박문각출판 **등록** | 2015년 4월 29일 제2015-000104호
주소 | 06654 서울시 서초구 효령로 283 서경 B/D 4층
팩스 | (02)584-2927 **전화** | 교재 주문 · 내용 문의 (02)6466-7202

저자와의 협의하에 인지생략

정가 17,000원 ISBN 979-11-6987-295-9
ISBN 979-11-6987-302-4(세트)

* 본 교재의 정오표는 박문각출판 홈페이지에서 확인하실 수 있습니다.